本の栞にぶら下がる

本の栞にぶら下がる

斎藤真理子
Mariko Saito

岩波書店

目次

黄色い本のあった場所——「チボー家」と私たち 1

古本を買うと、「これ、一度も使われていないなあ」と思える栞(しおり)のリボン（スピン）が見つかることがある。押し花みたいに、化石みたいにそこにある。ページにうっすらとその型がつき、ときには紙に色が移っていることも。外気にも光にも触れたことがないのかと思うと、気の毒になる。栞がこうだということは、本はおそらくほとんど読まれていない。しかし読まれていないからといって、持ち主と本の関係が浅かったとは限らない。読まなくちゃ、読まなくちゃと思い続けた末に手放したのかもしれないし。

一方、端の方からすっかり色褪(いろあ)せ、手ずれして繊維もやせた、「よく働いた」栞を見ることもある。根元からちぎれていたりもする。栞には、本が生きてきた時間が乗っている。

記憶の中の書棚の上段にいろんな本が入り乱れ、雑多に積み上がっていて、一本の栞を引っ張ると他の本もつられて動く。一冊の本に他の本の記憶がぞろぞろとぶら下がり、連なり、揺れている。そんな眺めについて書こうと思う。今日は、マルタン・デュ・ガールの『チボー家の人々』全五巻が重なっているそのあたりから。

『チボー家の人々』の詳細については言うまでもないだろう。一九二二年から四〇年にかけて刊行され、世界じゅうで読まれたフランスの大河小説、大戦ともう一つの大戦の間を、人から人へ、リレーのように走り抜けた本だ。

そしてもう一冊、この小説を日本の女の子がどう読んだかを描いた本がある。高野文子の『黄色い本――ジャック・チボーという名の友人』。最初に、こっちの方を紹介したい。

この本には、おそらく高野さん自身が高校生だった一九七〇年代の、地方に住む高校三年生女子の生活が描かれている。主人公の名前は田家実地子（たいみちこ）。この人が『チボー家の人々』を読んでいる、ひたすら読んでいる、そういう日々だ。

登場人物はみんな新潟の言葉を話す。高野文子さんは新潟市の出身で、私は高野さんより三歳年下でやはり新潟市生まれだから、だいたいの言葉がよくわかる。よくわからないのもあって、わずかの地域差を実感したりもする。

実地子は、読書と編み物が好きな女の子だ。彼女の編み物はパンチカードを駆使した機械編みで、内職を手伝えるほどの腕前を持っている。高校を出たら、地元のメリヤス工場に就職することがほぼ決まっている。そんな彼女が、高校の図書館で「チボー」を借りて読み継いでいるのだ。読んでいる間、彼女は完全に主人公のジャック・チボーやその恋人ジェンニーの友になっている。

空想のなかで、ジャックは実地子を「極東の人」と呼ぶ。

スイスに住む若い社会主義者たちの会議に実地子は参加し、彼らの前でドキドキしながら意見を言う。そして認められ、高揚する。その時間を作るために彼女は、自分に割り当てられたお手伝いを手早くすませ、夜、一人になってから本を開くのだ。

けれども家には幼い弟もいるし、小さい従妹がしょっちゅう泊まりに来るので、本に没頭できないこともしばしばだ。

彼女はべつに不幸ではない。友達もいるし、学校生活はちゃんと回っているし、弟や従妹もかわいい。卒業後の仕事も決まっている。母さんは賢い人で台所仕事をちゃんと教えてくれるし、父さんは彼女の物づくりへの志向性と適性を理解していて、「おめでねば(お前でなければ)編めねえようなセーターを編む人になればいいがなぁ」、と言ってくれたりする。でも、彼女が就職するのは下着の工場だから、そんな独創的なセーターを編むことは、できないのだ。

くり返すが、客観的に見て彼女に不幸はない。だが、ジャックたちのものさしに当ててみたとき、通学バスの中での自分のふるまいも何もかもがちっぽけに、またときには卑怯なものに感じられたりする。何より、インターナショナルな理想を掲げたジャックたちのグループの熱気、そこに存在する友愛、ジェンニーとの恋愛に惹かれる実地子の気持ちは、雪の降りつむ昭和の、新潟の日常の中では、どこにも持っていきようがない。

その感じが私にはすごくわかる。私も、似たような時期に、新潟の高校生で、新潟で『チボー家の人々』を読んだから。

そして実地子と同じように、この本の話をする友達などいなかったから。

私の育ったところは市のはずれの小さな町で、町内に本屋さんはあったけれど、そこは限られた面積の小さなお店だった。思う存分見くらべて本を選びたいと思ったら、バスに四十分乗って市の中心街に行かなくてはならなかった。ところがある冬の日、その町の、本屋さんですらない小さな文具店に突然、『チボー家の人々』があった。五冊セットで箱に収まり、忽然とそこにあったのだ。ある日浜に打ち上げられた流木みたいに。

印象的な黄色い表紙の本が五冊、くすんだ薄緑の箱に入っていた。薄暗く、埃っぽく、ガラスケースの中にペン先やインクが並んでいるような昔ながらの文具店だった。本が少しあるにはあったが、総合雑誌とマンガ雑誌とＮＨＫの料理番組のテキストぐらい。そこを本屋さんと認識したことは一度もなかった。なぜそこにあれがあったのか、今でも不思議でならない。

そのときわが家には、『チボー家の人々』をおそらく中高生向けにダイジェストした、『チボー家のジャック』という一巻本があった。デュ・ガール自身が五巻の中から、ジャックに関する部分だけを取り出してまとめたものだそうだ。私もこれを半分ぐらいは読んでいたと思う。訳者である山内義雄氏のあとがきには、「年少の読者」「年少の人たち」のための本と書いてある。このあとがきが書かれた一九五八年なら「少年少女」という言葉が使われそうなものだが、そうではなく、「年少の人たち」と呼びかけているのがとてもいい。でも、当時の私はちっとも「年少の読者」でありたくなくて、やっぱり本物を読まなければと思っていたのだろう。

クリスマスプレゼントなどというものを、そのころはもうもらっていなかったと思うが、あれが欲しいと母に言って、買ってもらった。高校生にもなってバカみたいと思ったが、欲しかった。

一九七七年のできごとだ。その年の映画は『八つ墓村』と『ロッキー』だった。ベトナム戦争は終わっており、反戦運動も終わったように思われた。学生運動もとっくに退潮していた。私が小学校上級生のときにあさま山荘事件があって、それより後には何も残らなかったように、見えていた。中国で文化大革命が終わったと、ニュースが言った。革命が終わるということの、意味がわからなかった。

世界は平べったく、冷戦構造は永遠に変わらないように思えた。冷戦構造などという言葉を私が知っていたとは思えないが、その中に私はぴったりサイズの穴を掘り、穴の中で「チボー」を読んだ。

高校生ぐらいの読書にとって、主人公が自分と同年代だというのは特別な意味がある。それまでに背伸びして読んだ欧米のどの長編小説の登場人物より、ジャックは親しく思えた。大人にわかってもらえるわけがないことばかり考えている、やっと友達を見つけたばかりの、高揚と落胆を一足の靴のようにはいて歩き回るジャック。全身で、「子供では・ない」と言っている、十代のジャック。それは赤毛のアンや、『あしながおじさん』のジルーシャ(ジュディ)からそれほど遠くない。

「われらの武器は、おそらくそれを用いる必要がないと思われるほどに強力なのだ」――これは、ジャックが大人になってから行う演説の中で、ゼネストについて語っているシーンだ。こんなことも高校二年生が理解できたはずはないが、子供だったジャックを知っていたから、夢中で読めたのだと思う。

第一次世界大戦が勃発すると、各国からスイスに集まってきていた社会主義者の若者たちは散り散りに自分の国へ帰っていく。しかしジャックは最後の手段として、兵士たちに戦線離脱を呼びかけるビラをまこうと思い立つ。そして飛行機に乗り、墜落して、死ぬ。

飛行機が落ちた直後、救助され担架に載せられ、朦朧(もうろう)としているジャックの心情を描写した部分に、「アジビラがかわいそうだといった気持ち……」という一行がある。私はそれだけを妙によく覚えていて、今もときどき、ちくっと思い出すことがある。そして、『黄色い本』の実地子は、ジャックが死ぬ場面を読んだあと、こたつに突っ伏してそこから出られなくなってしまう。

結局、実地子がこの本を完全に読み終えるのは、高校を卒業する直前だ。図書館に最後の第五巻を返しに行くとき、想像のなかで、彼女はジャックと友人たちにこう告げる。

お別れしなくてはなりません
仕事につかなくてはなりません
衣服に関する仕事をします

……たぶん
服の下に着る物を作ります
これからの　新しい　活動的な
革命とはやや離れますが
気持ちは持ち続けます

こういうときには、実地子は標準語で話すのだ。

私は仕事につかなくてもよかったから、大学に行き、そしておそらく、「チボー」のことは忘れた。ジャックのような人ではなく、実在した人たちの足跡や考え方をたどることに時間は費やされた。それもヨーロッパではなくアジアの人たちの。

それから長い長い時間が過ぎ、子供を産み、子供と暮らすようになった後で、高野さんの『黄色い本』を読んだ。実地子とジャックのお別れのシーンを読んでから、私は思い立って「チボー」を古本で買い直した。何度も引っ越して、文具店で買ってもらったあのセットはもう消えていたからだ。四半世紀ぶりに、読み返してみた。

そして、ジャックと自分にあまりに共通点がないことに驚いた。

まず、ジャックは男だった。

それも、私よりずっと年下の男の子だった。死んだときやっと二十三歳かそこらなのだもの。

ジャックは男で、ちゃんとバカロレアに合格した頭のいい、エリートの青年で、フランスのブルジョアの息子だった。そして、何年も会わないままだった初恋の人ジェンニーを、ほんの三日ほどで説得してしまう人だった。君も僕と同じブルジョアの出身で、君は君の階級に規定されており、決して自由ではないんだと。そしてジェンニーは驚くほど速やかにそれを受け入れる。さらに、飛行機が墜落したとき、ジェンニーはジャックの子を妊娠している。

茫然（ぼうぜん）とした。

日本の私たちは、灰色のノートを持って歩いていた子供のあなたを、あんなに好きだったのに。どうしてあなたはこんなに男なんだろう？　そのことになぜ気づかなかったのだろう？

そしてなぜ、子供は大人にならず、男か女になるだけなのだろう？

（つづく）

黄色い本のあった場所――「チボー家」と私たち　2

『チボー家の人々』のような長い小説を読むのは登山のようなものなので、登山ルートが大事になる。どの登山口から入って、どこで休憩して山頂を目指すかということだ。

私が高校二年のときにこの本を読めたのは、五合目の山小屋に二人の女の子がいたからだ。山小屋とは、『れくいえむ』（郷静子、文春文庫、一九七二年に芥川賞受賞）という小説である。そこに、十四歳の「なおみ」と、十七歳の「節子」という二人の主人公がいたからできたことだった。

『れくいえむ』は、第二次世界大戦末期の横浜の女学校が舞台となっている。主人公の一人であるなおみはインテリ家庭の娘で、父親は経済学者で、日米の経済力の差から見てこの戦争には勝ち目がないという論文を書いたために投獄されている。そのためなおみは都立女学校への入学を取り消され、節子のいる私立の仏教系の女学校へ補欠で入ってきたのだ。

だが、非国民の子であるなおみはいじめられて苦労し、上級生の節子がそれをかばってやる。節子はまじめで控えめな優等生だが、なおみの扱いをめぐっては、校長先生の前でも言うべきことをちゃんと言える芯の強さを持っている。なおみは節子に憧れ、自分も彼女のような立派な「軍国少女」になりたいと初めて思う。

こうして二人は親しくなっていくが、そのとき『チボー家の人々』が大きな役割を果たす。『れくいえむ』は『チボー家の人々』をまるごと飲み込んだような小説だ。全編に、この本をめぐる少女たちのやりとりが編み込まれている。けれども、二人が読んでいるのは、実は本ではない。なぜならこのとき日本では、「チボー」の刊行が途中でストップしていたからだ。なおみはそのあたりの事情を、「「チボー家の人々」は最後の方は本になつてゐません。出版してはいけないことになつたのですつて。うちには、フランス語の本があるので、ママが翻訳してノートにとりました」と説明している。だから二人は、手書きのノートを本のように貸し借りして読んでいるのだ。

毎日、軍需工場で働きながら、二人は『チボー家の人々』のジャックとダニエルのように交換日記をやりとりする。

ジャックと、その恋人のジェンニーについてなおみは、「あの人たちは、ひとりぼつちだつたなおみの、大切なお友達なのです」と書く。父が不在な上、母は気力を失ってお酒に逃げているので、なおみはとても孤独なのだ。彼女は節子と二人だけで会えることを一番の心の支えとし、会う前夜の日記には「この夜が明けて、朝日がさしてきたら、私はきつとけだもののやうな叫び声をあげることでせう」と書く。これは多分、ジャックがダニエルにあてた手紙を「命をかけて君のものなる」と結んだことに重ねられている。その激しさに節子は驚くが、なおみを理解したくて一生けんめい「チボー」を読み、今まで知らなかった世界に目を開かれていく。

私にとって良かったのは、節子が「むづかしかった」とか、「半分も理解できないかもしれません」と言いながらも「チボー」を読みつづけていく様子だった。小説にわからないところがあってもいいし、わからないまま読んでいてもいいのだと、お墨つきをもらったような気がしたので。

だが『れくいえむ』は、底なしに悲しい小説だった。なおみも、節子も、「チボー」の翻訳ノートにまつわる人々の誰もが、疲労困憊（こんぱい）し、希望を失い、心をすり減らした末に空襲や病気で死んでいく。

作者の郷静子も終戦のとき十六歳ぐらいだから、『れくいえむ』は同世代に贈られた鎮魂歌といっていいのだろう。少し年上の茨木のり子に「わたしが一番きれいだったとき」という有名な詩があるが、『れくいえむ』はあの詩を裏書きするような作品だと、私は思っている。詩の中で茨木さんは「だから決めた　できれば長生きすることに」と言っているが、この一行の後ろにはなおみや節子のような女学生たちがたくさん、いたのだと思う。

この『れくいえむ』を先に読んだので、自動的に「チボー」という山の登山口に立つことになった。そして、連載の一回目で書いたように、町の文具店であの五巻セットを見つけたときは、もう五合目まで来ているのに近かった。

こうやって思い返すと、『れくいえむ』といい『黄色い本』といい、「チボー」という山の登攀には、若い女性の案内者たちの印象が伴う。

例えば小津安二郎の『麦秋』でも、北鎌倉駅のプラットフォームで、原節子が、後に結婚相手になる二本柳寛と『チボー家の人々』の話をしている。

「どこまでお読みになって」と原節子が尋ねると、二本柳寛は「まだ四巻のはじめです」と答える。実は、そのころの『チボー家の人々』は全十一巻仕様で、『麦秋』が公開された一九五一年には十巻までしか刊行されていなかった。第四巻のはじめは「美しい季節」の後半にあたるらしい。原節子は「そう」と答えて後は黙っているのだが、そこには、「まだこれからが長いわね」とか、「もう少し読んでから、お話しした方がいいわね」といった気持ちが混ざっていそうに見える。原節子の落ち着きは、先を行く人の貫禄なのかもしれない。これを見ても、日本での「チボー山脈」登攀では、「女子供ルート」といえそうなものが有力だと感じる。

子供で、あるいは若くて、あるいは女で、さまざまなことについて、自分で決めることが許されていない。

すっかり決められたこととして流れていく日常に、「そんなんでいいのか」と疑問を抱くこと。

「みんな、こんなことで満足しているのか」と思いながらそれを口にせず、じっと抱えていること。そんな経験のある人に、第一章の「灰色のノート」はすっと染み込む。

『黄色い本』の実地子も、ふと、「自分の好きな人を大切にすることは、それ以外の人には冷たくすることになるんでねえの」と思ったりする。そんな思いを「チボー」に投影して確かめながら、黙って家族を見ている。自我が震えて、社会を見ている。

戦時下の日本の女学生の場合、こうした自我はどこへ向かえばよかったのか。敵国の小説に魅了され、同時にジャックの反戦思想にとまどい、そして自分が「聖戦」に裏切られつつあることもはっきり自覚していた節子は「ひとにはそれぞれにふさはしい生き方といふものがあるのではないでせうか。ジヤツクの最後のところを読んでゐて私は涙が止りませんでした。みんなと反対のことをたつたひとりでするといふのは、本当に勇気のいることだと思ひます」となおみにあてて書く。しかし、それでも「お国」を捨てきれない節子となおみの間で、対話はやがて途絶えてしまう。こんなに身を挺して国に尽くしていても、女学生たちにもその母たちにも、為政者を選ぶ権利は与えられていなかった。

先回、私が大人になってから「チボー」を読んだとき、ジャックが男だったことにショックを受けたと書いた。逆に、高校時代の自分はそのことにまるで頓着していなかったと不思議に思う。『吾輩は猫である』の「吾輩」の雌雄はどうでもよくて、「猫だ」ということだけが重要なのと同じように、ジャックについても、それが男の子か女の子かではなく、「人間の子供であり、若者だ」ということが大事だったのかもしれない。

その後私は大学に進学し、女性問題や朝鮮語を勉強するサークルに入った。そこで、自分と同じような本を読んできた人たちに初めて会い、その人たちがまた知らない本をたくさん教えてくれた。例えば、韓国・朝鮮に興味のある人なら必ずといっていいほど読んでいた『アリランの歌』(ニム・ウェールズ、岩波文庫)。ここに出てくる実在した朝鮮の革命家金山(キムサン)には、ジャックのような少年時代は存在しない。親に反抗している暇なんかないのだ。それはホー・チ・ミンでも、周恩来でも、魯迅でも同じだし、日本のプロレタリア文学だって似たようなものだ。

反抗期とは一種の贅沢(ぜいたく)品なのだろうか。だったら私もそうなんだなと思いながら、韓国の労働運動を描いた小説を読んでいた。その中では、ジャックと年の変わらない工場労働者が、苦労している親を助けてやれずに泣いていていた。

フランスという国の、あの歴史と、あの宗教があってこその、そしてブルジョア階級だからこそのジャックなんだとわかってくると、黄色い本を黄色い顔で読んでいた自分たちが何となくばかばかしくも思えてくる、そういう二十代だった。

それからずっと時間が経ち、『黄色い本』がきっかけで「チボー」を再読したとき、私はもう四十代後半だった。今度は、五合目でなおみや節子が待っていてくれないどころか、もうなおみや節子の母親の年齢さえ過ぎている。そして、自分で何もかも決めなくてはならず、決めたことの結果に責任を取らなくてはならない人になっていた。そうなると、「女子供ルート」からは登れない。

何より私はそのとき、思春期に入りかけた男の子、つまりジャックみたいな人と一緒に暮らしていた。「母親ルート」から眺めると、ジャックはあまりに性急な坊ちゃんだった。

さらに、この小説のラストには、男性につごうのよい願望が集まりすぎていた。だって、自分は反戦運動で死ぬが、恋人が「僕の理想」を受け継いだ息子を産み、一人で頑張って育ててくれているのだから。もしジェンニーが産んだのが息子でなく娘だったら、まったく違うお話になるのではないだろうかと、若干イライラしながら私は考えた。

この時期の私は、ジャックという人とはまるでチューニングが合わなかった。何で、たったの二十三歳でこんなに男ぶって、大人ぶって……というような気持ち。

そこからさらに十五年ほどが経ち、私はまた一人暮らしに戻った。子供との暮らしの渦中にいたときには、渦の向きも、その大きさもわからなかった。子供を「子供」としてだけ見るのではなく、一人の人間として見ることは難しい。「望まれる女性/男性」像と、「こうなりたい人間」像との間で混乱することが、生々しく、苦しいのと同じように。

子供が離れていって、渦から少し距離を置くことができ、また黄色い本をぱらぱらと眺めながら思うのは、マルタン・デュ・ガールはよくこんなに、十代のいらだちと憧れをみずみずしく書けたなあということだ。この本がこんなに世界じゅうで長く読まれたのは、十四歳のジャックをじっくりと、みっしりと描いた第一章の「灰色のノート」が、性と階級と時代と文化を越えるからなのだろう。世界の何もかもが変化した後でも、そのことは変わらない。

そしてなお、実地子がそうしたように、この本は若いときに読んだら一度お別れする本なのかもしれない。それは、誰にも仮託できない、自分だけの生活が始まることを意味するのだと思う。

小説の中で、ジャック自身のその時期が直接的に描かれていないことも面白い。彼が社会主義思想に出会い、自分自身の立ち位置を作った二十代の日のことは、後日談として語られるだけなのだ。そして、私が「チボー」を再読したとき、ジャックがあまりに男であることにめんくらったのも、自分の二十代と照らし合わせての驚きだったのだと思う。であればやはりこの本は、そこを踏破して成長する山なのだ。

「チボー」のような大きな山は、読み終えた後も、どこかにその山頂が感じられ、ときどき見回してそれを確かめながら生きていくことにもなる。山も歳をとるし、登山者も歳をとる。登山ルートを変えれば見える景色も変わる。それでも、同じ山に登っていることに変わりはない。大勢の人が登った山にはその数だけの眺望があり、眺望の重なりの上で、本は今も手に取られつづけている。

いぬいとみこさんのこと

『木かげの家の小人たち』(いぬいとみこ)を読んだのは、ベトナム戦争真っ盛りのころだった。戦争が真っ盛りなのと同時に、反戦も真っ盛りだった。

そのとき私は小学校四年生か五年生だったが、日本がかつてやっていた戦争についても、今起きているベトナム戦争についても、誰かから体系的な話を聞いた覚えはない。だが、周囲にはまだ太平洋戦争の記憶が残っていたと思う。

『木かげの家の小人たち』は一九五九年の刊行以来、子供にも大人にも広く読まれた物語である。イギリスからやってきた小人の一家と、東京のハイカラで文化的な一家とが、戦争末期の東京と長野で懸命に生き抜く物語で、反戦児童文学の代表といっていいのだろう。

細部が魅力的な物語で、そこが好きで何度もくり返し読んだ。主人公の「森山ゆり」という女の子と年齢が近かったこともあり、引き込まれた。だが、私がこの本から最初に得た重要情報は、「反戦運動をやれば戦争から逃げられるらしい」ということだった。

なぜかというと、ゆりのお父さんは「日本の戦争なんてまちがいだと言った」ために牢屋に入っているのだが、ゆり本人やお母さんがたいへんな苦労をするのに比べ、お父さんがさほど苦労しているようには思えなかったからである。

ゆりは、疎開で長野の遠縁の家に行くのだが、何とそのとき、森山家が世話をしてきたアイルランド出身の小人の一家を連れていくというミッションを負うことになる。ゆりの父は少年時代にミス・マクラクレンというイギリス人女性から英語を習っていたのだが、その女性が日本政府ににらまれて帰国しなくてはならなくなり、彼女の家で代々世話をしてきた小人たち(一家でバスケットの中に住んでいる)を、バスケットごと、信頼できる森山少年に託していったのである。以後、小人たちは森山家で大切にされてきたのだ。

だが、ゆりを預かることになった遠縁の「おばさま」たちは、そんなことは知らない。たった一人で田舎にやってきて、周囲の誰にも内緒のまま、戦時下の最悪の食糧事情の中で、小人たちのために毎日ミルクを手に入れてやらなくてはならないゆり。全く土地勘のないところへ転校したあげく、そんなハードルの高いミッションを任されるとは。

一方、お母さんはお父さんに差し入れするために東京にとどまり、三月の大空襲で家を失う。ゆりの上のお兄さんは戦死、下のお兄さんは「非国民」の父の分も頑張ろうと陸軍幼年学校入学を目指しており、みんな必死だ。

それに対して獄中のお父さんは、おしゃれだった面影が全くないほどやせているという描写ぐらいしかなかったので、私としては、お父さんがいちばん楽だなあという感想を持ってしまったのだ。

当時、暮しの手帖社が読者の投稿を集めて編集した『戦争中の暮しの記録』が話題になっていた。ここには、戦争中に小学生だった人たちの克明な思い出もたくさん収録されており、自分がそのころ小学生だったらこんな目に遭ったのかと、身の毛もよだつ思いで読んだ。集団疎開生活でのいじめとか、教師のビンタとか、お菓子の代わりに胃腸薬の「わかもと」を食べすぎて体を壊したとか。

特に、絶対に嫌だったのが竹槍(たけやり)訓練だった。こんなことをやらされたら、運動神経の悪い自分は一発で晒(さら)し者になり、殴られるに決まっている。でも、戦争に反対して牢屋にいれば、竹槍訓練はしなくていい上、戦争が終わってから尊敬されるのかもしれなくて、その方が絶対いいと思ったのだ。これを見ても、どんなにすばらしい本からでも、読む子によっては(子供に限らないが)しょうもない結論しか引き出さないということがわかる。

それはともかくとして、『木かげの家の小人たち』にあんなに引き込まれたのは、小人の子供であるアイリスとロビンの二人の心情がとてもリアルに描かれていたからだと思う。それは、この本が下敷きにしているイギリスのファンタジー、メアリー・ノートンの『床下の小人たち』のアリエッティにしても同じだ。

両方とも、両親の庇護から抜け出そうとする十代の人々の気持ちが非常にリアルなのだ。ロビンやアリエッティの苛立ちがあまりによくわかるので、そのおかげでファンタジーの部分までリアルに思えてくる。どうしてこれをマジックリアリズムと言わないのかな。

いぬいとみこさんに何度か、お目にかかったことがある。大学三年生のとき、いぬいさんたちがやっていた「ムーシカ文庫」に遊びに行った。初めて会ったのはそれより前で、私は生まれて初めて作家からサインというものをもらった。もちろん、小学生のときに読んだ『木かげの家の小人たち』の本に。

いぬいさんは、体全体に表情があふれているような、存在そのものが雄弁な感じのする人だった。当時私は大学のサークルで朝鮮語を勉強しており、サークルのゼミで「日本の児童文学は韓国・朝鮮をどう描いてきたか」といった発表を試みたりしていた。インターネットもない時代のにわか勉強だから、もちろん、とても限られたものである。その程度のことしかしていないのに、いぬいさんは私の話を本当に真剣に聞いてくださった。今、自分はあんなふうに若い人の話を聞いてあげられるだろうか。

一九七九年九月九日、埼玉県上福岡市(現・ふじみ野市)のマンションから、中学一年生の生徒が飛び降り自殺をした。いじめによる自殺で、生徒の父は在日コリアン二世であり、いじめの背景に民族差別があったとして大きな社会問題になっていた。いぬいさんもその事件に深い関心を持っていた。

「自分はナチスドイツによる虐殺や、ベトナム戦争については書いたけれど、それだけではだめなのね」。「日本人による朝鮮への侵略や差別の問題を取り上げないと」。そんな話をしてくれた。そこから後の記憶はぶつ切りなので、一部を取り出して書くのはいぬいさんに本当に申し訳ないのだが、「古代の、朝鮮も日本もなかったころの少年少女の交流を書きたい」ということもおっしゃっていた。それはどういう理由だったのか、現代を舞台にするのは難しいからだったのか、全く思い出せないのだが。しかし結局、その物語は書かれずじまいだったと思う。

それより前にも在日コリアン差別をテーマにした物語を書いたが、発表せずに終わったということがエッセイに書かれている。七〇年代初めのころらしい。長いあいだ温めていたのだなあと、それはずっと後で知ったことだ。

いぬいさんは一九四五年四月から翌年の三月まで、山口県柳井町（現・柳井市）の小さな戦時保育園の保母として働いていた。まだ二十代になりたてのころである。八月六日の朝には、園の子供たちと一緒に原爆の閃光（せんこう）を見た。自分が児童文学を志したのは、そのころ、栄養失調のためおなかだけがふくれた子供たちの姿を保母として見てしまったからだと、いぬいさんははっきり書いている。

「（私は）ピアノをならしてバンと止ったところで「空襲警報！」といってぱっと伏せさせるという保育あそびをやってきた人間です」（「幼児の成長と文学」『リラと白樺の旅』）。この一文は、「私はそういうことに対しほんとうに戦争責任を感じているし」と続き、そのあまりの飾り気のなさに私は今も打たれる。

『木かげの家の小人たち』に、忘れられないせりふがある。非国民の子であるゆりに冷たくした疎開先の同級生のお母さんが、「敗戦の詔（みことのり）」を聞いた直後にゆりにかける言葉だ。「ゆりちゃん、あんたもかわいそうになあ。敗ける戦争で苦労したぞなあ。おら、はあ、なんていったらいいだか……死んだ者がほんとうにかわいそうで……」。この人は、夫と長男を戦争でなくしたという設定になっている。

また、「回転木馬と「枯れ木の山」と…」という題の短編のことも思い出す（『川とノリオ』、理論社フォア文庫所収）。戦争からまだあまり時間が経っていない上野公園で、一人の男性が、三月の東京大空襲で死んだとおぼしき子供たちに出会う。彼はその後結婚して父親になり、再び上野公園にやってくる。そしてまた同じ子供たちの姿を目撃し、彼らのことを「前世にぼくが見捨ててきた、じつの子の話でも告白するように」妻に説明する。

敗ける戦争で苦労させたあの子たち。

見捨ててきたあの子たち。

これこそ、自分の戦争責任を端的に言い表した、いぬいさん自身の肉声だったのではないか。

この人の児童文学は、人間が主人公でも、動物が主人公でも、子供の独立心がテーマだ。どんな性格の子もそれぞれに独立したいという意思を持ち、自分なりの独立を探し求めて自由をつかんでいくのだという考え方が根底にあり、それが物語に張りを与えている。いぬいさん自身も非常に独立心の強い人だ。一九四一年に女子大学に入学したが、軍国主義下の女子教育に反発してすぐにやめ、保育の道にシフトチェンジしている。それを思うと、いぬいとみこはやはり、戦後民主主義の申し子だったと思う。

そして、いぬいさんが戦後民主主義の申し子なら、私は冷戦時代の子供だった。日米安保条約締結の年に生まれ、ベトナム戦争で死ぬ子供たちの姿に怯えていた。冷戦時代が終わるなんて想像も及ばないことだったから、韓国の軍事独裁政権も、朝鮮半島の南北分断もがんじがらめの決定事項で、どうにもならないことのように感じていたのだった。

一方で、戦後の日本は冷戦構造の中にありながら日米安保条約に守られ、敵不在のままで生きてくることができた。今になって思うのだが、そんな中で反戦児童文学を書きつづけた作家たちは、日本が再び戦うとしたら、敵はどこになると思っていたのだろう。

そんなことは大きな問題ではなかったのかもしれない。あえていえば、いぬいさんたちの第一の仮想敵は軍国主義そのものだったのかもしれない。だが、この「敵」像の希薄さは、加害者としての日本像の希薄さと符合するようにも思える。「加害者としての日本像」とは、「誰かにとっての敵」である自分の顔なのだから。

しかし、一人のいぬいさんに何もかも求めようとすることは間違いだと、今の私は知っている。私たちは、あんなにたくさんのファンタジーの中に響いていたいぬいさんの肉声を聞いただけで、最大のものを受け取ったのだと思う。

冷戦構造が崩壊し、ユーゴスラビア紛争のただ中でいぬいさんは倒れた。そして七年後の二〇〇二年に亡くなられた。不義理な私はそのことを知らなかった。もう一度お会いできたら、朝鮮戦争が起きたときにどう思ったか、ぜひとも聞いてみたかった。きっと、真剣に答えてくださったと思うのに。

結核をめぐる二つの物語——林芙美子と郷静子

何度も読み返してきた、林芙美子の「骨」という短編小説がある(『晩菊・水仙・白鷺』、講談社文芸文庫所収)。一九四九年に書かれたものだ。その年、芙美子は大変な密度で仕事をしており、この「骨」を皮切りに「水仙」「牛肉」「白鷺」「下町」「松葉牡丹」などの短編を次々に発表し、代表作『浮雲』の連載も始めた。執筆に加速度がつき、どの短編も、狙いすまして手早く切られた刺身の断面のように崩れがなく、血がかよったまま凝固している。それだけに残酷さや陰惨さまでみずみずしいのである。

「骨」の主人公は道子という女性で、夫が沖縄で戦死している。今は、自分の父親と弟、そして七歳になる娘の笑子(えみこ)と一緒にクリーニング屋の二階の一間に住んでいる。この四人家族のうち、三人までが病気だ。

まず、道子自身が結核にかかっている。寝ていなければならないほどではないが、健康の問題で二度も仕事をやめたというのだから、十分に病人だ。次に、高齢の父親がリウマチで、体の自由がきかない。もちろん仕事はできない。とどめはまだ二十歳になっていない弟の勘次で、姉よりずっと重い結核患者で、寝たきりだ。工場に学徒動員されたとき、猛暑にもかかわらず一日も休まず働いたため、喀血するほど悪化してしまったのである。

　自分も病気なのに三人に食べさせなければならない道子は、新宿の旭町でお客を拾って体を売っている。彼女は女学校出で、水商売もしたことがなかったのだが、知り合いに手ほどきを受けてこの仕事への一歩を踏み出したのだ。その時点で道子はすでに、半分以上捨て鉢になっていると思って間違いないのだろう。そうやって得たお金を、夫の「骨箱」に入れて貯めているという設定だ。ただしその箱に夫の遺骨が入っていたことはなく、日本軍から送られてきたのは、少量の「赤い泥」だけだったという。

　この骨箱に入れたお金を、弟の勘次がじっと見ている。父親と自分のどっちが先に死ぬかという神経戦のような日々の中で、寝床からそれを見つめているのだ。そして、怪しげな新治療法のためにそのお金を使ってくれないかと姉に頼む。「俺、手術してよくなったら、働いて返すよ。俺、生きたいンだよ」。

　だが道子はきっぱりとそれをはねつける。彼女自身、勘次と同じくいつ寝込むかわからないのである。本人は、そうなるにきまっていると思っていて、「きまってるからやぶれかぶれで汚れた商売してンだよ」と怒鳴る。そして「俺、みんなに病気うつしてやるッ」と取り乱す弟に、「療養所でも何処へでも行っておくれよ」と言い放つ。その一言に、勘次が声を立てて泣きながら答えるせりふがつらい。「俺、こゝにいる。こゝにいた方がいゝンだ。どうせ死ぬのならこゝにいる……」。

「骨」という短編が神経にこたえるのはたぶんこの、十代の男の子の若い口吻(こうふん)のせいである。体を売るようになってお金が入った道子は、勘次に毛布を買ってやったり、卵を買ってやったりする。本来は優しい姉なのだ。でも、毛布や卵は気休めにすぎない。この小説が書かれた一九四九年にはまだ、結核の特効薬ストレプトマイシンは出回っていないし、この家にいる限り進行を抑えることも望めないだろう。これは「闘病」などというものではない。自宅療養という名の待機時間、死を待つだけの、不安と恐怖の時間だ。

貧しさのためにみすみす命を落とす人など、昔の小説の中では珍しくないはずだが、「骨」の怖さはちょっと違って、「弾み」のようなものを持ってこちらへ飛びかかってくる。何より、死を前にした人間が声を上げて泣くという描写がいたたまれない。「俺、こゝにいる」という勘次のせりふは骨身にこたえて痛々しい。だが同時に、どこか甘えも感じられ、この瀕死の少年には一種ねじれたエロティシズムすら漂うのである。

こういうのを読むたび、林芙美子とは本当に困った作家だと思う。

この人が非常に熱心な従軍作家だったことは、よく知られている。一九三八年の漢口攻略の際には、男性作家を出し抜いて一番乗りまでした。田辺聖子によれば「芙美子は従軍記の体裁をとって〈兵隊〉と寝たのである」(『ゆめはるか吉屋信子』下巻)ということになる。「砲車や軍馬とともにひしめき進むあらくれ男どもへの胸さわぎ」（同書）に、存分に陶酔したのだと。

そんな彼女が戦後には、戦争に負けた日本の男を丸裸にして、晒しつづけた。工場を戦場と思って必死に努力した勘次も例外ではない。芙美子は彼に、姉の声を借りて「馬鹿正直に働くからそンな病気にとりつかれたのさ。おまえがへまなンだよ」と罵声を浴びせる。道子自身がもうぎりぎりで、弟の死を願うしかない状態なのだが、このあたりには肉親への憐憫と支配欲と、ちょっと嗜虐趣味さえ漂うようでもある。こうしたパワハラめいた言動と、体を売るうちにやけになったような道子の振る舞いが背中合わせになって、危ういバランスで小説が進む。

ところで私はこういう、追い詰められた人間が出てくる小説を読むのが好きだ。どうやらそれは自分にとって一種の危機管理であるらしい。最悪の事態で恐慌をきたさないためにはどうしたらいいかとか、そんなことを、あまり論理的でなく考えていることが多いので、この習慣がついたようだ。

ところが今や、コロナの世の中である。世界のいろいろな国の、大勢の人々の病状を毎日、目にし、耳で聞きながら暮らしている。あるインターネット記事の中に、どこの国だか忘れてしまったのだが、家族に会えずに死ぬとわかった患者が「自分がそのように死ぬとは」と言って泣いた、という記述があって、「骨」を思い出した。勘次は結局、一間の家で、誰も気づかないうちに死んでいた。けれども「こゝにいる」と言った希望はかなえられたのである。

ぼんやり考えていると、私が「骨」を怖がっていられたのは、やはり結核は過去のものだという思いこみのためだったのではないかと思えてきた。勘次は不運な犠牲者で、道子ももしかしたらそうなるかもしれないが、歴史の上ではやがて結核は死病ではなくなったはずだ。戦争と医学の未発達と貧困が三つ巴（みつどもえ）になった地獄はこの後ちゃんと消えたのだし、後戻りはしないと安心しているからこそ、私はこの物語の怖さを堪能できたのかもしれない。

だが、ストレプトマイシンが商品化されたからといって、一足飛びに患者が全員助かったわけではなかった。そこには段階があり、その段階こそが地獄だったという現実も、あったはずである。

そのことを、『れくいえむ』の作家、郷静子が教えてくれた。彼女は自分自身が結核を患い、戦後かなり長く療養所で生活していた。その体験をもとにしたと思われる『小さな海と空』（一九七五年）という小説がある。そこには、ストレプトマイシンが商品化された当時、その高価さと入手困難さのために、患者には希望より絶望感をもたらしたという記述がある。郷静子自身、後に「なおる手だてがあるのにそれをあきらめて、見通しのない病床で日々を過さなければならないことは、若い私にはつらいことであった」と当時を振り返っている（『色のない絵』）。

『小さな海と空』の主人公・蓉子（ようこ）もまた戦後、女学生のときに結核になり、療養所で三年を過ごした。彼女の場合は回復して社会に戻れたが、そのころは療養所のベッドが空き待ちだったといい、完治していないのに自宅療養を勧められて抵抗する患者の描写などもある。

それは一九五〇年のことだ。一九五〇年といえば朝鮮戦争が始まった年である。小説の中には、ヤミのブローカーをしている蓉子の兄が、朝鮮戦争以来いっそう羽振りがよくなり、どこからかストレプトマイシンを手に入れてくるシーンがある(おそらく進駐軍からの横流しだ)。朝鮮戦争が日本の経済成長を支えたことはよく知られているが、それが結核患者の生死にもかかわっていたのか。

だが、蓉子の回復過程は一筋縄でいかない。療養所は出たものの、恋愛や家族関係で悩んだ彼女は、少々やけっぱちになって無理をした結果、再発して療養所へ戻る。そして再び出てきたときは、さらに十年が過ぎて一九六〇年になっている。これもまた作家本人の自伝的事実と重なるようだが、結核は一直線に治りはしなかったことを改めて教えられた。

「骨」が手練(てだ)れの名人の刺身だとすれば、郷静子の小説は色気もあまりなく、弱火でまじめに仕上げた自炊の煮物みたいな感じなのだが、どっちがより美味(うま)いというものでもないし、美味さを競うようなテーマでもないだろう。この小説には続編の『よみがえる季節』(一九八〇年)もあり、蓉子が筆耕やタイピングで兄のもとから独立し、やがて元患者の男性と結婚し、家庭を持つまでが丁寧に描かれている。物語は、米兵相手の「オンリー」だった日本女性と黒人兵との間に生まれた青年が、チャリティコンサートでベトナム反戦歌を歌う場面で終わっていた。彼の父親は朝鮮戦争で死んだのである。

『よみがえる季節』の蓉子と「骨」の勘次、そして前に触れた『れくいえむ』の主人公の一人である節子はほぼ同い年で、みんな結核だ。蓉子は三十代になり、四十代になり、他の二人が経験できなかった未来を、戦後を生きている。続けて読むと、小説の中の人物たちがリレーを走っているような気がしてくる。治療法のない時代から治療法のある時代へ移行するグラデーションの中を、命がけで走っている。

そして言ってみれば、結核の方でもまた、リレーは続いてきたのではないだろうか。勘次の年代で、終戦のころに結核に感染したがそのまま経過し、老いて免疫力が落ちた九〇年代ごろに発症した人が多々おり、それが若い人に感染する例もある。そして、生活困窮者が結核に罹患しやすいことは昔と変わらない。

『よみがえる季節』には、かつて結核療養所で暮らしていた人々が、今も療養所に残る「療友」たちを訪ねるシーンがある。ここを読んで、「療友」という言葉を久しぶりに目にしたと思った。そして、この言葉をしばらく覚えておこうと思った。我々の社会が病み果てているのなら、ともに病む療友なしに耐えられるだろうかと思うから。また、道子や勘次が、そして林芙美子が持っていなかったのはまさにこの、療友ではなかったかと思ったからだ。

林芙美子は好きな作家で、今もそのことに変わりはない。けれどもたぶん私はもう、彼女に危機管理の役割を求めないだろうと思う。コロナ禍の経験を経て私たちは、どういうリレーの中で何を誰に手渡すことになるのか見きわめながら走らねばならない時代を迎えている。

多摩川沿いの工場で——「土堤」を読む　1

一九六八年夏のある日。十九歳の日雇い労働者Nは、川崎市の寄せ場から、他の三人の男と一緒に、手配師の運転するライトバンに乗った。車は川沿いの道を走っていく。「これは、多摩川だな」とNは思う。

そのときNには家がなかった。仕事はきわめて不安定だった。横浜で沖仲仕(おきなかし)をやっていたが、それも嫌になって日雇いに出ていたのだ。着いたところは、多摩川の土手下にある古紙プレス工場。着くや否や、同行してきた元ヤクザ風の労働者が言う。

「なんでえ、朝公だったのかヨ。しようがねエところへ来ちまったぜ、皆どうする」。

そこは在日コリアンの経営する工場だったのだ。

その一帯は「一目で汚穢(おわい)した所と体感させる貧乏きわまる部落」だったと、後にNは書いている。工場というのはシャッターも扉もない、だだっ広い作業場だった。「朝公だったのかヨ」と言った男は、仕事を蹴ってどこかへ行ってしまう。Nも内心、何て汚いところだと思うが、懐に

五、六百円しかないので働くことにする。

彼の仕事は、機械で圧縮した古紙のブロックを運んで積み上げることだ。作業場にいるのは、無口な大男の親方とNの二人きり。古紙のブロックはすさまじく重く、大変な重労働だが、Nは頑張る。昼飯どきになると親方はNを「食堂」とは名ばかりの粗末な空間に連れていき、「遠慮するなよ、麦めしで悪いが食えるだけ食ってくれ。……午後疲れるぞ」と言う。

午後になると、高校生と思われる少年二人が手伝いにやってくる。親方の息子や甥なのだろう。そして親方は、若い二人と話しているときNのことを「ああ、何か知らんけどよく働いてくれるよ」とほめる。それを聞いたときの気持ちをNはこのように書いている。「たとえ人種は違っても、見るところはやっぱし見てくれるんだ。と、そう思うと、それまでの陰うつな心地の悪い心がぱっと何かに照らされたような気持になった。嬉しくなった。萎縮していた心持が一遍に何か大きな太陽を浴びたような気持」。

そんな気持ちだから、午後の作業には弾みがついてくる。二人の少年とも少しずつ心が通い合ってくる。古紙のブロックをずんずん積み上げていくと、それは作業場の、高さ十メートルくらいもある屋根裏に接近していく。

Nは二人の少年に、自分から声をかける。「あの屋根に手がとどくようにしようぜ」。根強い人間不信のあるNにとって、これはとても珍しい行動なのだ。そして少年たちも「よしゃ、やろうぜ！」と同調する。その情景は後年、次のように書かれた。

「そうだ。N少年はこの時、ここに来てははじめて笑ったのであった。そのとき、朝から一緒に仕事をしていた大男のほうを何の気なしに見ると、——彼も眼で笑っていた。N少年の眼と大男の眼はその時、一緒に笑ったのであった」。

長々と引用してしまった。

人間不信の若者が、初めて会った人たちと働いて一緒に笑う。読んでいるこちらも、ほんとによかったと思う。

だが、この人がわずか何か月か後、拳銃で四人もの人を殺して逮捕されたと聞いたらどうだろうか。

イニシャルから想像がついたかもしれないが、このエピソードは、一九六八年に連続射殺事件を起こし、九七年八月に死刑を執行された永山則夫が、事件から約十五年後に「土堤」という小説に書いたものだ。

永山則夫は逮捕後に獄中で猛烈な勉強を重ね、自分が罪を犯したのは貧困と無知のためだったという結論に達し、有名な『無知の涙』など、多くの文章を書いた。その後、一九八〇年代に入って小説という表現形式に移行し、一九八三年に、獄中で書いた自伝的小説「木橋」によって新日本文学賞を受賞した。「土堤」は「木橋」の後に書かれたものである。

「土堤」は、「沖仲仕として働いた経験を描いた自伝的作品」と紹介されることが多いが、私はむしろ、この工場体験の方が重要な意味を持っていると思ってきた。多摩川沿いには戦前から、砂利採取事業などに従事した在日コリアンの人々が多く住んでいた。川崎には昔から大きなコミュニティが形成されており、この古紙プレス工場があった集落もその一つで、今でも面影が残っているのではないかと思う。

永山則夫は子供のころから、いい目にあったことがほとんどない人だ。大変な貧困の中で育ち、家族の愛情を感じることができず、中学卒業後、集団就職で青森から東京に出てきて以降も、故郷でのちょっとした「非行」を暴かれたりして、人間不信に陥るしかなかった。仕事は十分に頑張り、評価もされているのに、仕事の中身以外のことで横からケチをつけられ、叱責され、バカにされることが多かった。だがこの工場では親方も手配師も、永山の働きぶりだけを見て評価してくれる。

それだけではない。五時に仕事が終わると永山は残業を頼まれる。手間賃ははずむから、という。彼はそれを一言で断ってしまうのだが、にもかかわらずその日手配師は「よくやってくれたから」と規定よりたくさんの金をくれる。そして「また何時か頼むよ！」と声をかける。

さらにそれだけではない。彼は、手配師の妻という女性が「疲れたでしょう」「お茶を入れましょうね」と声をかけてくれたことを書きとめている。「日雇いに入って間もないが、こんな人間味のある言葉をかけられたのは、これがはじめてだったからである」とまで書いているのだ。

その人の一重まぶたの目を、永山は美しいと思う。

いったいこの日の仕事で永山少年は何人の、良い人に会ったのだろう。「良い人」などという言葉はベタすぎると思うけれども、彼が手に入れられなかった普通の思いやりや配慮が、そこには当たり前に存在していた。

永山則夫の人生には不思議と、ところどころに在日コリアンとの縁がある。

例えば、小さいとき、家にテレビがない彼は同級生の家にテレビを見せてもらいに行くが、嫌な顔をされ、拒絶されてしまう。その中で唯一テレビを見せてくれたのが、在日コリアンの少年「コーちゃん」の家庭だった、とか。

定時制高校で親しくしてくれたのが在日コリアンの女性看護師で、その人を「姉さん」と呼んでいた、とか。

また、逮捕される前の一時期には新宿のゴーゴー喫茶で知り合った在日コリアンの女性と同棲していた、とか。

なぜなのだろう。もちろん一九六〇年代後半の日本において、貧しい環境の育ちであれば在日コリアンの生活圏に接近する可能性は高かった。けれども、それだけではないような気もする。

いずれにせよ多摩川沿いの工場で、彼はこの日確かに、「何か大きな太陽を浴びたような気持」を味わった。小説の描写を見るかぎり、ここの人たちは人手不足に困っていたようだ。永山があと何日かこの工場で働いていたら、何かが変わっていなかっただろうかと思う。彼らは純粋に人手が欲しく、永山は純粋に金が欲しい。過不足のないそのやりとりの中で、あと少しだけ、人間を信じることができなかっただろうか。

だが永山はそうはしなかった。彼は、手間賃をはずんでくれたことには礼を言うが、ぶっきらぼうにそこを出て多摩川の土手に座り込む。そこから、汚い、肩を寄せ合ったような集落を眺めながら、こう思った。

——俺より下がいた。

それは同情とも憐憫ともつかない思いだったという。「何かしら言いようのない自己確認と反撥」——しかしその「反撥」がどこから来て、どこへ向かうものなのか、十九歳の永山にはわからない。ただ怒りだけがある。

働いて人とともに笑う経験は彼の命綱になったかもしれないのに、土手に座って、集落に向けて永山則夫は石を投げる。届きはしなかったが、確かに石を投げたと、後に書きとめている。

それは彼自身を傷つけることである。一緒に働いた人たちの方へ気持ちは強く寄っているのに、ほとんど肌を接しているのに、それを自分の手で、自分の肌を裂いて引き剝がすことだから。

ここに至るまでの永山の一九六八年の歩みは、支離滅裂といってよかった。一月、神戸港から密航を企てて捕まる。その一方では、定時制高校に入学してクラス委員まで務めている。と思えばそこをやめて郷里に戻って再起を試み、挫折すると自衛隊に入ろうとする。行き当たりばったりのようだが、活路を見出そうと必死だったのである。その間には何度も自殺を考えている。

その背景には、行き倒れになって死んだ父の記憶があった。父は腕のいいりんご剪定職人だったが、博打が好きで失踪し、永山が中学生のとき、岐阜で行き倒れて死んだ。警察が撮影したその遺体写真を母が不用意に保管しておいたため、永山はそれを見てしまい、この記憶が大きなトラウマとなった。「土堤」の前半には、横浜の桜木町駅前のドブ川の中で泥まみれになって泳ぐ日雇い労働者の姿が出てくる。必死にもがくその男の姿が父と重なる。「あれが、やがて来る自分の姿なのか」。そこへ落ちてはいけないと思いつめた彼は、「なんでえ、朝公だったのかヨ」と言った労働者と同じ側に身を置かない限り、生きられないと感じていたのではないだろうか。

ちなみに、同じ一九六八年の二月には、在日コリアンの金嬉老が二人の暴力団員をライフルで射殺した末に、寸又峡に立てこもる事件が起きている。何日にもわたってテレビの前で民族差別を糾弾しつづけた金の姿に日本じゅうが震え上がり、永山もそれを見たはずである。そして彼自身もその年の秋、盗んだ小さな拳銃を、人に向けて撃った。

多摩川土手の工場での仕事のようすがあまりにみずみずしく書かれているので、その後の「――俺より下がいた」という一言には、ぎょっとする。しかし、体験から約十五年が経った後、永山則夫がそのことを小説に書き、自分の心境と行動を見つめなおしたことの重要さは明らかだ。そしてそこには、一九八〇年に獄中結婚した妻、沖縄生まれの和美さんの関与があった。

体験は、他の人と一緒に振り返ることでまったく違う意味を持つことがある。「土堤」はそんな過程を経て生まれた小説だったと思う。

（つづく）

多摩川沿いの工場で――「土堤」を読む　2

永山則夫は四人の人を殺して捕まったとき、ほとんど漢字も書けない状態だったといわれている。獄中で、漢字をくり返し書いて覚えることからはじめ、たくさんの本を読み、ノートにびっしりと文章を書いた。それは本になり、ベストセラーになった。書きつづけるほどに文章は観念語だらけになっていった。

そんな彼が小説を書きはじめたのは、一審の死刑判決が覆されて無期懲役の判決が出た後である。獄中結婚した妻の和美さんに勧められたためだった。

永山則夫の人生で、和美さんほど大きな役割を担った人は他にいないと思う。

新垣和美さんは一九五五年に沖縄で、日本人女性とフィリピン人男性の間に生まれた。全くの偶然から永山の著書『無知の涙』を読み、打たれたようになって、すぐに手紙を書いた。彼女はそのときアメリカのオマハにいたのだが、永山則夫に会うために、永住権を捨てて日本に来てしまった。そして二か月も経たないうちに彼と結婚した。

彼女の子供時代は永山と似ている。二人とも、親に見捨てられるという強烈な体験をしている。和美さんは義父のおかげでアメリカで教育を受けることができ、その点では永山より恵まれていたが、苦しさはずっと続いていた。

『無知の涙』は、後半に行くにしたがって怒りに満ちた告発調の檄文が多くなるが、基調音は詩だといっていい。例えば、

目ない　足ない
おまえ　ミミズ
暗たん人生に
何の為生きるの

というような。和美さんはこの詩を、「きれい」な、「魂が濁っていない言葉」と感じたのだそうだ。この人のスタンスは終始一貫していた。自分には永山則夫が必要で、彼が自分を救ったのだから、彼とともに生きて償いたいというものだ。永山も彼女に会って初めて、完全に信じられる人間関係を手に入れた。

この人がいなければできなかったことがたくさんある。まず、死んで思想を残すつもりだった永山に、生きて償う決心をさせた。次に、小説を書かせた。

『死刑の基準――「永山裁判」が遺したもの』（堀川惠子、日本評論社）によれば、面会で永山と事件の話をすると、必ず幼年時代の思い出につながっていく。それなら、「何かに書こうよ」と和美さんが提案したのだという。これからの償いのために、幼年時代のつらい思い出と向き合うことが絶対に必要だと思ったのだ。

裁判の過程で和美さんと永山は、陳述の際の言葉について真剣に話し合ってきた。「ずっと私に語ってくれたあのわかりやすい言い方、じいさんもばあさんも、小さい子供も理解できる語り方をしてくれないか」。ちなみに和美さんは、幼いころおばあさんに育てられた。その懐に抱かれて寝ていたときの匂いの記憶があったから、社会に向けて銃口を向けたい気持ちになったときにも思いとどまれたのだと話している。

「資本主義と貧困が犯罪を生む」という思想さえ残せれば良いと考える永山にとって、どんな言葉を使うかという問題は非常に大きかった。言葉の問題は生き方の問題である。和美さんの説得に耳を傾け、受け入れていく過程で、「生きて償う」という方向へ永山はシフトしていく。その変化によるものなのか、初の短編集『木橋』には、観念語はほとんど出てこない。永山が原稿を和美さんに送り、面会のときに和美さんが疑問点を尋ね、永山が説明し、それに沿って文章を直していったということだ。和美さんとの対話を通じて「自分のいる風景」と「自分の見た光景」を交互に絵にすることによって、体験が物語へと変わっていったのではないかと思う。

「木橋」のタイトルになった木の橋は、彼が思春期を過ごした町と市の境界にある橋だ。古くて、次に洪水があれば流されてしまうだろうと噂されている。それでもたびたびの洪水に耐えている。その橋が永山の記憶の起点となっている。

読んでいくと、幼かった彼と橋との位置関係が常に意識されている気がする。そして、問いに答えて次々に扉が開くように、視覚的な描写でそのときの心理がわかってくる。そのとき橋はどう見えたの。どんな気持ちで橋まで走ったの。そこでどんなことを思い出したの。そんな問いかけが、行間から溢れてくるように感じるのだ。

林檎畑の樹林の枝々は、流れに浮かび、また沈んでいた。
それが、N少年には、人間の手のように見えてきた。
「助けてよ、助けてよ」
と叫ぶ、人間の手のように見えた。
木橋は、山の黒々とした真ん中へ刺さっていくようだった。

一年ほどかけて書いた「木橋」は新日本文学賞を受賞し、「これはミミ（和美さんのこと）と二人の受賞だよ」と永山は言った。そして、次に書かれたのが「土堤」だった。

実は「土堤」には、前身があった。

『人民をわすれたカナリアたち』（辺境社、一九七一年）の冒頭にある無題の文章だ。多摩川沿いの工場での体験が、ほとんどそのまま書かれている。なるほど、「土堤」のあの克明な描写は、これがあったから可能だったのかと納得した。

しかしこの二つの文章には、越えられないほど大きな違いがある。

「土堤」は、N少年が「俺より下がいた」という心情を抱いてその場を離れるところで終わっている。

だが、『人民をわすれたカナリアたち』に所収の文章（一九七〇年に書かれたものと明記されているので、以後「七〇年版」と呼ぶ）には、もっと荒々しい、むきだしの言葉がつけ加えられていたのだ。

「あの頃の私は、それこそ無知であり、そして何時でも死ねる覚悟のあるほどに気は荒れていた。私は、あの日の帰りしな、あの部落へ向けて石を投げた――。そう、確かに朝鮮人にコキ使われたという屈辱感があったのも事実だと思う。あの石を投げらした（ママ）動機というものは」。

これを読んだとき私は、ほとんど「狼狽（ろうばい）」というのに近い感情を持った。

もちろん、その日の仕事は重労働だったはずだ。とはいえ、工場の親方も重い荷物を自分で運んでいたのだし、その息子らしき若者たちも同じ仕事をしていたのに、それでも「コキ使われた」ということになるのか。しかも「よく働く」とほめられ、手配師やその奥さんにも優しい声をかけられた上、おしまいには手間賃も少し上乗せしてもらったのに、それが「屈辱」になるのかと。

これは私が甘っちょろくて、民族差別というものをわかっていなかったということなのだろうか。そして、さらに困るのはその先だ。

「彼ら（在日朝鮮人＝筆者注）の悲惨は、旧軍国主義者共に源をなすことを知った今、（中略）この日本を暫時ながら震撼させた私の事件は罪あるどころか正当性をおびてくると思うことしきりだ」という記述があり、とどめは「在日朝鮮人民の青少年諸君よ！　敵はブルジョアジーだ！」というスローガン。狼狽を通り越して辟易（へきえき）という感じになってしまう。

だから、十三年後に書かれた「土堤」を読むとほっとする。ここでは、自分の中の差別意識をじっと見渡すような記述で、小説が終えられているからだ。

「土堤」には元になった記録があるから、それを読み返しながら対話が進んだかもしれない。あの工場での仕事の場面は数少ない楽しかった記憶だから、和美さんもそれを大事に思ったのではないだろうか。では、「朝鮮人にコキ使われたという屈辱感」という言葉はどうだろう。

和美さんは沖縄で、日本人とフィリピン人の子供として育ち、いじめられた経験がある。オマハでは、居留地で暮らす先住民の子供たちと継続的に交流していた。なぜ人間は、自分と別の集団に属する人を蔑み、罵るのか。和美さんとの間だからこそ可能なやりとりがあったのではないだろうか。

終盤近くにこんな一行がある。

「土堤道は、対岸と同じように、下流のほうへも、上流のほうへも、長く遠くつづいていた」。

永山はその光景を思い出したとき、自分自身がどこへ流れていくのか全く見当もつかなかった十九歳当時の感覚を取り戻したのではないかと想像してみる。土堤の外にはのどかな雑木林があった。そして土堤の内側にはあの工場があり、貧困があった。自分はそこへ石を投げつけていた。そのときは在日朝鮮人の歴史を何も知らず、自分によくしてくれた人たちに対して、「自分より下がいた」と思うことしかできなかった。

十九歳の彼にとって、「朝鮮人にコキ使われた」というのは無自覚の虚勢にすぎず、その下にあったのは、なぜ朝鮮人だけが自分を人間扱いするのだという激しい困惑だったのではないだろうか。彼を襲ったのは、差別と被差別の磁場が干渉しあい、足もとがゆらぐような、強烈な混乱ではなかったか。

「そのとき、N少年自身は、已れが人生の土堤っ端に立っているのだという自覚が、まったくなかった」。

この一行も、七〇年版にはなかった。「人生の土堤っ端」はそのまま、四つの殺人現場につながっている。永山則夫はこの作品を書くことで、自分の最も忌まわしい過去を俯瞰した。その意味で「土堤」は、作家・永山則夫の一つの頂点だったのではないかと思う。ここまで来るには、十三年という年月と、和美さんの存在が必要だった。

無期判決後に書かれたこれらの小説は、短編集『木橋』となって八四年七月に立風書房から刊行された。けれどもその本が出るまでの間に、裁判の行方は大きく変わってしまった。最高裁が高裁の判決を破棄し、差し戻し判決が言い渡されたのだ。八三年末からまた裁判が始まったが、次は死刑判決だろうということははっきりしていた。

一度は生きると決めたのに、その道を塞がれた永山は、弁護士を解任した。和美さんとの間にも徐々に亀裂ができ、離婚を要求するようになった。八六年に離婚成立。翌八七年、東京高裁は再び永山に死刑判決を下した。

九七年に死刑が執行されるまで、永山は小説を書きつづけた。

今となっては、「土堤」に、多摩川沿いの工場の人々の姿が残ったことを奇跡のように思うばかりだ。永山はその後、彼らを思い出すことがあっただろうか。そしてその人たちも、一日だけ働きにきたN少年を記憶していただろうか。物語が残る限り、読者はそんなことを思いつづける。

「かるた」と「ふりかけ」——鶴見俊輔の「断片」の味

夏の初めに、鶴見俊輔の『思い出袋』(岩波新書)を読んだ。『図書』に連載された短いコラムを集めた本で、どの文も二ページくらいでつるっと終わってしまうのがいい。

最初にジョン万次郎が出てくる。次に金子文子。ちょっと飛んで、ミス・マープルとか、阪東妻三郎とか水木しげるとか。鶴見さんの本を読んだ人なら、ああ、あれだと思うようなことがぽろぽろ出てきて楽しい。ときどき、うわあと思うようなことも書いてある。

「なぜ、日本では「国家社会のため」と、一息に言う言い回しが普通になったのか。社会のためと国家のためとは同じであると、どうして言えるのか」。

こういうのも、一口サイズの文に収めてあるので、つるっと飲み込むことができて、もたれなかった。

ちょうど、本が読めなくなっている時期だった。コロナ疲れもあっただろうし、オリンピックや世の中のあれこれに腹を立てすぎたせいもあり、自分には難しすぎる本に噛みついて無理をしたせいもあった。何を読んでも頭に入ってこなくて、その後少し持ち直したのだが、まるまる一冊分の理屈や一冊分のストーリーを受け入れようとすると、二十ページも行かずにへこたれてしまう。

例えば、食欲がガタンと落ちて、お粥にして、お粥からご飯に戻ったのだが、ちゃんとしたおかずがまだ食べられない。でも白飯だけというのは味気なくて、何か欲しい……ふりかけぐらいなら……美味（おい）しいふりかけがあれば……という感じのときだったので、『思い出袋』は役立った。

鶴見俊輔のふりかけは美味しい。何しろもともとの材料がいいので、そこからこぼれてきたものを集めても美味しいに決まっている。こういうのを、トリクルダウンというのだろう。

ジョン・デューイの話が面白かった。鶴見俊輔が通っていた東京高等師範附属小学校の校長先生は、朝礼での話がとても短くて、「今日は天気がいいね」とだけ言って壇から降りてしまったりしたそうだ。これは小学生には嬉しい。また、新一年生全員の顔と名前を全部覚えていて、すれ違うと「○○君、元気か」と名前を呼んでくれたという。これも、緊張している新一年生にはほっとすることだっただろう。

それから十余年後、太平洋戦争が始まり、アメリカ留学中だった鶴見俊輔は米国の捕虜収容所に入る。そのとき、便所掃除のコツを教えてくれるおじいさんがいて、「君は高等師範の附属小学校だろう」と言うので「そうです」と答えると、「君たちの小学校の校長先生が、会いたいと言うので、ジョン・デューイのところにつれていったことがあるよ」と教えてくれたそうだ。

そうか、校長先生の話が短かったのも、一人ひとりの名前を呼んでくれたのも、デューイから来ていたのか、プラグマティズムだったのかと青年になった鶴見さんは思う。ずっと年をとって老年期に入ってからは、初老だった当時の校長先生が一年生の名前を全部覚えるのはとても大変だっただろうと、改めて思ったそうだ。

デューイなんて読んだこともないし、読む予定もなかったが、この校長先生の話が気に入ったので、読んでみようかなあと思った。ふりかけしか食べられないのに。友達にメールしてそのことを言うと、友達はとっくにこのエピソードを知っていて、「校長もえらいけど、鶴見少年もすごいやね」と返事をくれた。それでまた嬉しくなり、他の人にも言いふらして本を買わせた。

ふりかけは一片が小さいから、そんなふうにおすそ分けがしやすい。そして鶴見俊輔のふりかけはとにかく、味が多彩だ。逆さにして振ってこんなにいろんなものがバラバラ落ちてくる人はそうはいない。凡人なら、胡麻ばっかりとか、鰹節ばっかりとかになりそうだし、または材料が多様でも、全部同じ味つけになってしまうかもしれない。でも、『思い出袋』のふりかけはほんとにさまざまなものが渾然一体、バラエティ豊かな味だった。好き嫌いをしない思想家だったと改めて思った。

そもそも鶴見俊輔は、こういう、バラバラした断片を集めることがとても上手な人だ。

『不定形の思想』という本がある。一九六八年に出たもので、二〇二二年に河出文庫に収められた。ここに、「かるた」という、断片を並べて作ったちょっと不思議な書き物が入っている。

これの原型は、鶴見俊輔が十二、三歳のころに、十歳ごろまでの考えを書きとめるつもりで書いた断片だというからびっくりする。それを十年ほど経った戦後早い時期に書き直したのだそうだ。最初に短い序文のようなものが置かれていて、それを読むと心がしんとする。

「私たちひとりびとりが、心に、かるたをもっている。読み札の文句が聞こえると、それに当てはまる形だとか風景だとかが、浮び上ってくる」。

続いて、子供時代の記憶の短いスケッチのようなものがランダムに並ぶ。例えば、「私生児」とか「白子」といった言葉を雑誌で読み、意味はわからないのに、何か隠されたことのように感じて強く惹かれたという思い出。そのあげく、一人で想像したおどろおどろしい内容を、本当のことみたいに学校の友達に話してしまう。

「わかっていないことを口走ったという、恥かしさと落ち着かなさ。それとともに、この考えがきっと正しいのだという信念が、早くも心のうちで重みを増して行くのを感じた」——。文章はここで終わり、ゴシック体の文字で〈真理〉と添え書きしてある。

また、畳の上で目を閉じると、何日か前に友達と海に行って楽しく過ごしていた光景がありありと思い浮かんだというスケッチ。目さえ閉じれば鮮明によみがえるのに、目を開けると消えてしまう。その、もどかしかった思い出が、〈時間〉と定義されている。こんな具合で、〈自分〉〈意識〉〈実在〉などなどが並ぶ。

つまり、子供時代の記憶を使って、一種の原初的な哲学辞典のようなものを組み立て、それに

「かるた」と命名したのだ。

私が二十代で初めてこの文章を読んだとき、普通の本にはない、湿った土の匂いがすると思って戸惑った。『不定形の思想』は三部構成の本だが、一部と二部は、ちゃんとした学者が講義室で話している感じなのに、三部で「かるた」が始まると、なぜかいきなり日本家屋の畳が上げられ、床板もはがされて、その下のじめじめした地面にうずくまる子供の背中が見えるようなのだ。ムカデや蟻のいる地面に向かって、そこに散らばっている何かに見入って口もきかない子供。

それだけなら、幼年時代を描いた小説にいくらでもあるだろう。だが、「かるた」に漂う、下を向いた子供の視線の低さ、土に近くかがんだ身体感覚のリアリティはずば抜けている。そういえばかるたも、札を取るときはみんなうつむいて下を見る。

「かるた」のコンセプトは、「私たちがいま、「概念」という厭な名で呼ぶものの底に、折り重っている絵札の系列。そのなかの幾枚かを、ここに再現してみようとした」というものだ。そして全体の最後に、「子供の頃の疑問の幾つが、今残っているか」と書いてあって、これが終始一貫、鶴見俊輔の仕事の背骨だったと思う。

この文章は、「苔のある日記」「戦争のくれた字引き」「退行計画」という、やはり断片を集めた三つの作品とともに『不定形の思想』の三部に収録されていた。そして、この四つの文章のまとまりにはわざわざ、「私の本」というタイトルが付されていた。鶴見さんが、断片の群れをさして「私の本」と呼んでいたことは面白い。

最初に「かるた」という文章を書いたのは戦後間もないころだったというから、まだ二十代前半だ。そのころの彼には、この文を、かるたを川に捨てるところで締めくくりたい思いがあったという(実際にはそうなっていない)。四十代になってそれを振り返ったとき、かるたを捨てる一瞬を思い描くこと自体が若さであって、今の自分にはそれはない、という意味のことを書いている(「退行計画」)。この時点で鶴見さんは、長い人生の半分にも至っていない。

さらに七十代になったときには、いろはかるたの特徴を、「混沌の中から、時の流れに従って秩序が出来てくる」(「アンソロジカル・カルチュア」『鶴見俊輔集・続 第五巻』)と語った。つまり、かるたをするとき、札は最初ばらばらに撒かれているが、札が減るにつれて秩序が出来てくる。それでも最初はばらばらに撒かれていたということが大切で、それこそが自由の下地であるし、固まらないシステムの重要さがそこにあるのだと。そして、「システムに一遍巻き上げられた札は、やがてばらばらカオスに戻る」(同書)。

かるたはアンソロジーであり、ゲームである。かるたをとることは、誰かが作ったアンソロジーに耳を傾けることだ。

鶴見俊輔の人生は、自分というかるたをばらまき、人にとらせ、また集めてはばらまき、そして自分ではない人のかるたも人々と一緒にばらまいては集める、その連続だったかもしれない。膨大な知識、経験、疑問がそうやってシャッフルされる。雑誌『思想の科学』や運動体の「べ平連」を舞台として、多様なメンバーで、鶴見さんと周辺の人たちのかるたとりは続いてきた。かるたはくり返し、くり返し、何度もとるものだ。そのうちに札の端が折れたり、破れたり。そうやっているうちにこぼれ落ちたものが、『思い出袋』のふりかけなのか。

かるたとふりかけ、両方とも、子供の好きなものだ。そして大人からはいつも、あまり気にされない存在だった。

無類の断片使いだった鶴見さんの、最後の断片集といってよい『もうろく帖　後篇』には、こんな言葉がある。

自分の書きのこしたものを廃墟とみる。
その中に、架空の未来を読み取る。廃墟の中に羽ばたき。
かるたの家から。

幼年期と老年期のかるたが両方から歩み寄っていき、その間の空間で、自分は誰でもない者になっていく。そんなイメージが見える。シャッフルして、シャッフルして、人と分け合い、やがてさらっとカオスに戻るかるたの家。

自分が一束のかるたの札であり、人がそれをかき混ぜてくれるという想像は自由さをもたらす。かるたとふりかけ、軽い断片に映るものの影を眺めながら、人に会えない時期を過ごした。

翻訳詩アンソロジーの楽しみ

二十代初めのころから、気に入った詩があるとノートに書き写してきた。今はほとんどやらなくなってしまったが、そういうノートが十一冊残っている。

ペンでノートに書いたから今まで残ったのだ。コピーの束ならとっくに散逸していただろう。また、テキストデータなら読み直さなかっただろう。ノートというものは綴(と)じてあるので本に近く、そのために残ったのだと思う。

最初は日本の詩人が多い。中野重治、金子光晴、宮沢賢治、山之口貘、そして高良留美子、永瀬清子、石川逸子、滝口雅子など女性詩人の詩。その後はラングストン・ヒューズなど翻訳詩が増え、アンリ・ミショー、ルネ・シャール、カール・サンドバーグなど手当たり次第だ。前から持っていた本、図書館の本、古本屋の均一棚で漁(あさ)った詩集などの中で、「あ、」と思ったものをどんどん万年筆で書き写していった。

「あ、」と思うか思わないか。これが大事で、「あ、」がなければどんなに有名な詩でも読む人を引きとどめておくことはできない。逆に「あ、」があれば地味な一行が立ち上がってくることがある。茨木のり子さんが「言葉が離陸の瞬間を持っていないものは、詩とはいえません。じりじりと滑走路をすべっただけでおしまい、という詩でない詩が、この世にはなんと多いのでしょう」(『詩のこころを読む』、岩波ジュニア新書)と書いている通り。

今見ると、「何て趣味の悪い」と思うものもないわけではないが、意外と少ない。そして一度書き写すと、忘れるということはほぼない。どれも、ちゃんと見覚えがある。これも手で書き写したためだと思う。

やっていくうちに、詩のアンソロジーというのは便利なものだと思うようになった。だって、これと同じ作業をすばらしく目の利く、第一級の人がやってくれているのだから。その厳選されたものの中からさらに「あ、」を拾っていくのだから、たいへんな贅沢だ。

考えてみると当時は、さまざまな詩のアンソロジーが出回っていた。「誰々さんが選んだ詩」のリストというものに価値があったのだなあと思う。中でも谷川俊太郎編の『愛の詩集』(サンリオ、一時は河出文庫)というのがよかった。クリスティナ・ロゼッティやエミリー・ディキンソンからパステルナークだのマヤコフスキーまでこの本で初めて読んだし、『点子ちゃんとアントン』のケストナーが詩人であることもこの本で知ったのである。

そして、考えてみたら『愛の詩集』は翻訳詩のアンソロジーだった。考えてみなければそのことがピンとこないぐらい当時の私はぼんやりで、読み終えて、いろいろ書き写してから「そういえば、日本の詩は入ってないんだな」と気づいたぐらいである。

さまざまな言語で書かれたはずのものが小さな一冊に詰まっている光景は、本当に好ましかった。子供のとき、親の知り合いの誰かがイギリスのチョコレートとキャンディの詰め合わせを毎年クリスマスのころに送ってくれていたが、そのふたをあけたときのような気持ち。

翻訳詩のアンソロジーというのは、一言で言うと「お宝ざくざく」である。とても手間がかかっているのに、ここ、あなた専用の砂場ですよ、どうぞ遊んでってくださいとオープンにしてある様子があんまり無造作なので、いいの？と恐る恐る遊んでいるうちに、「でへへへ……」という顔になってしまう。

その気になって探すと世の中には、翻訳詩のアンソロジーもいろいろあった。言語別、訳者別、テーマ別。また、数々の文学全集の最後の方に入っている訳詩集はコスパのよいこと限りなかった。例えばこんなのが、何気なく入っている。

神のへど　クラブント

どの神やらがへどをついた。
其へどの己は、其場にへたばつてゐて、
どこへも、どこへも往くことが出来ない。

でも其神は己のためを思つて、
いろいろ花の咲いてゐる
野原に己を吐いたのだ。

己は世に出てまだうぶだ。
おい、花共、己を可哀く思つてくれるのか。
お前達は己のお蔭で育つぢやないか。
己は肥料(こやし)だよ。己は肥料だよ。

タネをあかせば、これは森鷗外訳。この詩が入っていた『世界詩人全集　第六巻』（河出書房、一九五六年）はエリオットの「荒地」から始まり、四百五十ページに約百人の作品がぎっしりで本当にお得感があり、そのため見るだけで満足して、全部は読んでいない。他に、いわゆる「円本(えんぽん)」と呼ばれた戦前の文学全集の詩の巻も持っており、第一級の訳者揃いで身震いするほどだが、それも読了してはいない。

一方で、ほんとうに読み倒したといえるほど読んだのは、木島始と長谷川四郎の翻訳アンソロジーだ。

このお二人の訳詩集には共通点がある。詩人が、多言語の作品を自分で訳していること。そしてテーマを設けないアンソロジーであること。ちなみに木島さんの場合、英語圏以外の詩人については英語からの重訳が多く、長谷川さんはロシア語、英語、ドイツ語、フランス語、スペイン語からの翻訳で、英語やドイツ語からの重訳がたまにある。

最初に手にしたのは、木島始の『訳詩集　平凡な恋人の歌』(河出書房新社)で、この本からはまず、ジェイムズ・スティーヴンズの「記憶にとどめよ」という詩を書き写している。

記憶にとどめよ　罠を
織っている　蜘蛛を
——それこそ　おまえが
したことなのだ　いたるところで

と始まるたいへん厳しい内容の詩。「記憶にとどめよ」という句が反復されるリズムが好きだった。続いてハンガリーのヨジェフ・アッティラ、イラクのマフムード・アル・ブライカーン、アメリカのポーリ・マレイという具合。

この本は、「あ、」となる率がとても高かった。ネルーダ、ホイットマンといった有名な詩人も入っていたが、初めて見る名前が多かった。だが、詩人の名前を知っているかどうかはどうでもよかった。茨木のり子さん流にいえば、この本は一ページごとに離陸風景が見られる、稀に見るほど活気のある飛行場みたいなもので、未知の名前の連続だからこそ、いっそうエキサイティングだった。

長谷川四郎の『風の神の琴』(せりか書房)はさらにそうで、何というか、ただものではない詩が惜しげもなく並んでいる光景に心を奪われた。

二人とも、批評眼と平常心を常に失わない、大変重要な詩人だった。特に長谷川四郎は、シベリア帰りの文学者の中で、抑留体験を最も冷静に、自己伝説化せずに対象化していた人だと思う。そういう詩人が、縦横無尽に、枠を設けず、多言語の詩人の作品を相手にしたとき、もしかしたらご本人の詩より訳詩の方が率直でのびやかなのでは? と思うほどの効果を生んでいたような気がする。次は長谷川さんの訳詩。

村々よ
どうして私はもっと
生きていたい?
(ボブロウスキ「草原」より)

ぼくの話してきかせることどもは

ほんとうのうそなのだ
けれど　もしきみがそれを見破るなら
僕は恥じて死ぬでしょう

（コクトオ「ジェノアの獄中で」より）

ところで、こうした詩集にアジアの詩が入ることは非常に稀だったが、『平凡な恋人の歌』には韓龍雲（ハンヨンウン）（一八七九―一九四四）という人の詩が二つ入っている。* 韓龍雲は僧侶であり、一九一九年の三・一独立宣言の起草において中心的な役割を担った一人でもあり、韓国で非常に尊敬されている詩人だ。『平凡な恋人の歌』には『ニムの沈黙』という韓龍雲の有名な詩集から、「従うこと」と「渡し舟と旅ゆくひと」の二編が収められており、訳出に際しては、在日コリアンの詩人姜舜（カンスン）さんと、木島さんと一緒に黒人文学の仕事をたくさん残した在日コリアンの研究者、黄寅秀（ファンインスウ）さんの協力を得たと明記してある。

わたしは　渡し舟
あなたは　旅ゆくひと
（中略）
でも　きっと　遅かれ　早かれ　あなたが　やってくると　わたしは　信じている　あなたを待

ち　わたしは　日ごと　年老いる

（「渡し舟と旅ゆくひと」より）

この「あなた」というのは民族の独立、解放を指すのだと、一般に理解されているし、そうなのだろうと私も思う。

実は私はこの韓龍雲の二編が大変気に入ったので、同じ二編を自分なりに訳してみて、韓国に留学する前に出版社の社長さんに見せたことがある。ちょうど、韓国に語学留学する直前のことだった。これならいいですねと言ってもらったので、じゃあ帰国するまでに『ニムの沈黙』を一冊全部翻訳しますと、大それたことを言って出かけたのだ。しかし、いざ韓国に住みはじめて『ニムの沈黙』を開いてみるとたいへん難しく、最もトランスレータビリティの高い二編が『平凡な恋人の歌』に入っていたのだということがわかった。そこで私はあきらめてしまい、それっきりになった（二〇二二年に『中くらいの友だち』十一号に二編だけ訳出したが、そのうち一つは「渡し舟と旅ゆくひと」だった）。

あとで思ったのだが、私が「渡し舟と旅ゆくひと」に惹かれたのは、木島さんの本の中で、その後にネルーダの「もどってくるよ」という詩が続いていたためらしい。「あとで　わたしがもう生きていないとき／ここを　ごらん　ここに　わたしを探しなさい／石くれどもと　大海のあいだに」……という詩で、全文引用したくなるのでこのへんでやめておくが、これこそアンソロジーの魅力、編集の妙というものである。並び合った作品が作り出す和音の中で、それぞれの音がいっそうよく鳴り響くことがある。

そう思ってみると私の十一冊のノートも、一つのアンソロジーではある。それに気づくのに四十年もかかってしまったが。

＊『平凡な恋人の歌』では韓竜雲という表記になっているが、一般には韓龍雲である。

杏の枝と七夕の夜――後藤郁子と茨木のり子

道でばったり。

知らない人と。

おそらく、二度はない出会い。そのためいっそう鮮烈で、すれ違った一瞬がいつまでも生きている。

そんな光景を描いた詩で好きなものがある。長くはないので、全文を写してみよう。

或る朝鮮少女（かしいな）に

後藤郁子

青々とした葉かげに三個（つ）四個（つ）
黄金の杏のついた一枝を右手に提げて

水いろの裳（チマ）——裳ながく、桃色（ローズ）の上衣を着たあなたが
向うからぶらぶら歩いて来る。佳（よ）き朝鮮少女（かしいな）
あなたの年は十七位。おゝ佳いとき！
私はあなたに別に挨拶がない。あなたは勿論
あなたは摺れ違つた
あなたの手の、杏の、黄玉の光澤に
桃色の上衣のうら若さに、裳（チマ）のすずしさに
おゝ親しさに、私は一度、一度だけ振り返つた
（私は振り返ることが嫌ひであつた）
長い三つ編にした下げ髪の尖端に、朱赤（まっか）な
原素のリボンが三角旗のやうにひるがへり
木履（くつ）は外輪に、頸を真つすぐに立て
軽く杏の枝を振りながら
悠々歩いて行く
粗服は元気に飾られ
私はあなたの真実の佳（うつく）しさを
其の日、其時、其処で始めて見た

この詩が書かれたのは一九二七年六月。書いたのは、当時二十四歳だった詩人、後藤郁子。やはり詩人である夫の新井徹（本名・内野健児）と朝鮮の京城（当時）に住んでいた。二人ともプロレタリア詩人として紹介されることが多い。

「或る朝鮮少女に」は後藤郁子の作品の中で最も有名な詩だろう。一度読んだら忘れられない弾みがある。心の中で、思わず「お丶佳いとき！」と声をかけずにいられなかった少女とのすれ違いから、「お丶親しさに、私は一度、一度だけ振り返つた」までの伸びやかなリズム。そして「（私は振り返ることが嫌ひであつた）」という自画像の重ね方のみごとさ。

杏の枝はただ美しさに惹かれて折り取ったのだろうか。それとも葉や実を薬用に用いたのだろうか。杏の種（杏仁）は古来から咳止めなどの薬として使われている。先祖を祀る祭祀の膳に載ることもあった、と聞いた覚えがある。

髪に結んだリボンは「テンギ」といい、未婚の女性なら赤と色が決まっている。韓国の伝統的な履き物は爪先が曲線を描いて軽くはね上がっており、それを「外輪に」、つまり外向きにして悠々、堂々と歩く姿もいい。

名前も来歴もわからない、一九二七年に後藤郁子によって一度振り返られたこの女性は、本人もまったく知らないところで、植民地時代の日本人が書きとめた例外的な朝鮮人の肖像として長く記憶されてきた。詩人の石川逸子はそれを「朝鮮へのすぐれた恋唄」という。

一九二七年に十七歳ぐらいといえば、ちょうど日韓併合の前後に生まれた人。特異なモダニストである詩人の李箱(イサン)などと同世代だ。古いソウルの都が、音を立てて近代都市「京城」に変貌していく過程を、まざまざと見ながら大人になったはずだ。

一瞬の、閃(ひらめ)くような朝鮮との出会い。

茨木のり子もそんな光景を書いている。こちらは戦後の作品で、タイトルを「七夕」という。茨木夫妻が夜、天の川を見ながら散歩を楽しんでいる。だが、そこへ一人の男性が闖入(ちんにゅう)する。

「アンタラ! ワシノ跡 ツケテキタノ?」
不意に草むらからぬっと出て赤銅いろの裸身が凄む
焼酎の匂いをぷんぷんさせながら
わたしはキッと身がまえる
キッと身がまえてしまうのはとても悪い癖なのだ

後藤郁子の「振り返るのが嫌ひであつた」と同様、「キッと身がまえてしまうのはとても悪い癖なのだ」という個所が私は好きでならない。そのように緊張する彼女の隣で夫が、「今夜は七夕でしょう/だから星を眺めにきたんですよ」とのんびり答える。すると相手は、

「タナバタ？
たなばた……アアソウナノ
ワシハマタ　ワシノ跡ツケテキタカ思ッテ……
トモ……失礼シマシタ」

と、去ってゆく。

これもまた、一瞬のドラマのようだ。いささか乱暴な、でも自分に非があるとわかれば率直にそれを認めるこの人は、崖っぷちにぽつんと一軒立った家に大勢で暮らす在日コリアンの男性だった。「何世帯住んでいるのかわからない」その家で「朝鮮語の華々しい喧嘩が展開されるのは／きまって蒸暑い真夏の丑三ツどき」、と茨木のり子は書いている。

続いて彼女は、「このゆうべふりくる雨は彦星の早榜ぐ船の櫂の散沫かも」という万葉集の歌を引き、朝鮮半島から豊かな文化を伝えた人々について考える。その人たちに比べたら、こちらは「トモ……失礼シマシタ」などでは到底すまないことをたくさんやってきたのに、と詩人は思っただろう。「わたしの心はわけのわからぬ哀しみでいっぱいだ」と綴っている。

この詩は一九五九年から六三年の間に書かれたと推定される。当時、日本と韓国にはまだ国交がない。戦前から日本で暮らしていた人々が、朝鮮戦争を経て、分断祖国のどちらを選ぶかという厳しい選択を迫られつつ生きていた。一方、韓国から日本に「密航」してくる人も絶えなかった。私は、「七夕」に書かれたこの人は「密航」してきた人ではないかと、ずっと思ってきた。

実のところ私は、「密航」という言葉を使うことも嫌なのだ。その大勢の人たちの事情は、こんな一言ではくくれないほど多様だし、特に一九四八年に起きた済州(チェジュ)四・三事件の際に逃れてきた人がとても多いのだが、この人々は現在の定義なら戦争難民である。また、戦後、日本の法律がGHQの監視下で作られていく中で、家族に会いに来ただけの、日本国籍を持っていた旧植民地人たちが不法滞在者にされていった過程があり、この人たちは決して法律上でも「密航者」ではない。これらの歴史については私には説明しきれないので、『出入国管理の社会史——戦後日本の「境界」管理』(李英美、明石書店)や『入管問題とは何か——終わらない〈密室の人権侵害〉』(明石書店)の第2章「いつ、誰によって入管はできたのか——体制の成立をめぐって」(朴沙羅)などを読んでほしい。

ともかく、「密航」と呼ばれる形で日本にやってきた人々は、警察に摘発されたら長崎の大村収容所に収容され、韓国に強制送還されることもあったし、彼らを匿(かくま)う人々も緊張の毎日だ。詩の後半には「夕涼みの者をさえ　尾行かと恐れている」という一行がある。「尾行」とまでいうのには、それなりの背景があるはずだ。当時、不法入国者の取り締まりに関しては、民間人の通報にも報奨制度があった。散歩に見せかけて跡をつけられることだって、ありえたかもしれない。

タナバタと聞いて「칠석(チルソク)(七夕)」のことだとわかるのだから、この人は日本語には慣れている。そして、七夕と思えば「アアソウナノ」と納得するのだから、季節の行事を大切に考えている人

だ。このときは酔っ払いだったけど、その後、町工場や廃品回収などの事業がうまくいったり、民族団体で偉くなったりすることもあったかもしれない。一方で、北朝鮮への「帰国事業」に参加して日本を離れたかもしれない。

だが、詩の中で永遠に止まっている、書かれた人の「その先」を無軌道に想像して何になるだろう。わかるのは、書いた側の人の「その先」だけである。

後藤郁子夫妻が朝鮮に暮らした年月は妻が三年、夫が七年にすぎなかった。それは、三・一独立運動に恐れをなした日本が「文化政治」を行っていた時期の後半に当たる。朝鮮人による朝鮮語新聞の発行や、結社・集会の限定的自由が認められたりしたが、民族運動は一切禁止。一九二五年に施行された治安維持法は拡大解釈され、すべての民族運動に適用された。

そんな中、発行していた雑誌の内容が検閲に触れたことから、内野健児は勤務先の京城公立中学校を追われた(ちなみに、当時の教え子の一人が中島敦だった)。「或る朝鮮少女に」が書かれた翌年、二人は朝鮮を去り、東京へ移った。その後も夫婦で作品活動と雑誌の発行を続けたが、内野は戦争末期の一九四四年に結核で亡くなってしまう。後藤郁子は病院の賄いの仕事などをしながら子供を育て、晩年には夫の全作品集を編纂する機会を得て、一九九六年まで生きた。

貧苦の中で、志高く、実に多くの仕事をした夫婦だと思う。その彼らにしても、朝鮮に住みながら朝鮮の詩人たちとの交流はきわめて限られていた。二人が日本語しか解さなかったためである。当時の京城では、一九二五年に発足したＫＡＰＦ(朝鮮プロレタリア芸術同盟)が旺盛に活動していたが、接点はなかったようだ。ハングルを読める日本の詩人が登場するまでには長い年月が必要で、それが茨木のり子だった。

「七夕」から約十五年後、茨木のり子はハングルを学び、極上の翻訳を残し、詩人・尹東柱(ユンドンジュ)の紹介をはじめ、隣国の文化への扉となるような文章をたくさん書いた。それは大韓民国のイメージが、「貧乏で、軍事独裁が続く恐ろしい国」から「独自の歴史と文化を持ち、人情味あふれる人々のいる興味つきぬ国」へとゆるやかに舵を切っていくただ中でのことだった。

雅趣に富み、当意即妙で、躍動する隣国の文化。その味わいは、後藤郁子がとらえた少女の面影にも通じる。これを鮮やかに掬(すく)い取って示す茨木のり子の仕事はまぎれもなく一流だった。だが一方、茨木さんと韓国・韓国人との距離が狭まるにつれ、在日コリアンへの視線は宙に浮いてしまったような気がして、私は物足りなかった。「七夕」のあの人は、日本の天の川の下に置き去りにされてしまったのかと。

「七夕」の終わりはこうなっている。

たなばたの一言で急におとなしく背を見せて
帰って行ったステテコ氏
わたしの心はわけのわからぬ哀しみでいっぱいだ
つめたい銀河を仰ぐとき

これからは　きっと　纏（まと）わりつくだろう
からだを通って発散した強い焼酎の匂いが
ふっと

私は、小学生のときに学習雑誌に載っていた「女の子のマーチ」を読んで茨木のり子の名前を覚え、中学に入ったころに書店で「現代詩文庫」を見つけて嬉々として買ったという、たいへん年季の入った茨木のり子の読者だ。それだけに注文の多い読者でもあり、また、ときには反抗期の読者ともいえるのかもしれなくて、なおさら「わけのわからぬ哀しみ」の「わけ」をもっと書いてほしいと願ったのかもしれない。

だが、それさえ、書かれた人にはゆかりのないことだ。

一瞬のすれ違いを書いた人と、書かれた人。それぞれ一度だけの人生が、歴史の中で大きくすれ違う。それは対等なことではありえない。けれども、見られた人と見た人、と措定（そてい）すれば立場は逆転するかもしれない。

書いた人もまた、書かれた人からじっと見られ、記憶にとどめられたかもしれないのだ。そして、そのことを詩人自身が意識していなかったわけはないと、私は思う。二人が二人とも、その閃くような邂逅（かいこう）について、「振り返る私」「身がまえる私」という一瞬の自分の身振りを書きとめたことは、偶然なのだろうか。

道でばったり。

知らない人と。

それは決して知らない人ではないはずだと、二人の詩人は教えてくれる。そして二人の「書かれた人」の後裔（こうえい）たちは今、世界じゅうの道を、そして我々のごく近くの道を、歩いている。

炭鉱町から来た人

私が小・中学生だった一九六〇年代から七〇年代には、学校での暖房にまだ石炭を使っていた。中学では冬になると毎日、日直の生徒が独特の形をした石炭入れのバケツを持って用務員室に行き、一日分の石炭を入れてもらっていた。だるまストーブに自分たちで着火していた気がするが、どうだったただろう。

教室で石炭が燃えている。それが燃えている間ははっきりと、あたたかい。とてもダイレクトな感覚だった。みんな家では石油ストーブを使っており、電気による暖房はまだ一部に限られていたと思う。あのとき学校で使っていたのは、どこで採掘された石炭だったのだろう。新潟市だったから、常磐炭鉱か、北海道のどこかのものだろうか。

先日、『詩の中にめざめる日本』(真壁仁編、岩波新書)が限定復刊された。一九六六年に出て以来、じわじわと長く読まれてきた民衆詩のアンソロジーだが、その中に、この本でしか読めない炭鉱の詩がある。沖田きみ子という人のものだ。

死の花粉

炭鉱の人は自殺を知らない
それでなくとも死は満ちていた
朝の井戸は女でにぎわい
お別れも充分でないのに
死体が運ばれる
――自分で掘った地底のなかで
埋まってしまったひそかな孤独を――

「沖田きみ子は、田川炭鉱（山形県）で働いている主婦」と、真壁仁の紹介文にある。作品自体は結婚前に書かれ、山形県の労働者文化展に応募されたものだそうだ。審査員だった真壁仁がそれを一等に選び、後に『詩の中にめざめる日本』に収録した。

私がこれを初めて読んだのは、高校生のときだった。『詩の中にめざめる日本』は有名・無名の詩人の作品を集めた本で、どこから開いても読めるのが特徴だが、ぱらぱらめくって「死の花粉」というタイトルが見えるたびに、どきんとするのだった。

炭鉱の夜は始終電燈がきらめいて
生きることが永遠ではなかった
炭鉱の人はほんとうに自殺を知らない？

閉山前の光景を描いたと思われるこの詩に惹かれたのは、私だけではない。詩人の荒川洋治氏も触れていたことがあるし、『詩の中にめざめる日本』を読んだ人と、「死の花粉」の強い印象について話したことが何度かある。不思議な吸引力を持つ作品だ。

私がこれを読んだころ、沖田きみ子さんはすでに、閉山となった炭鉱を去って久しかった。田川炭鉱の閉山は一九六〇年のことである。

大学生になり、朝鮮人強制連行について学ぶ過程で炭鉱のことを知った。森崎和江や上野英信の本を読んだ。筑豊に何度か行き、閉山から三十年以上経ってもまだしゃんとしていた炭鉱住宅にしばらく住まわせてもらったこともある。そのとき、炭鉱の歴史の苛烈さ、おびただしい死と非人間性のすさまじさ、そこを生き抜いた人々の生命力とともに、石炭そのものが生命であったことにも、わけのわからない揺さぶられ方をした。

石炭は数億年から数千万年も前の植物が炭化したものだ。それほど昔の生命体が今でも、形を保って存在していること。その、かつて生命だったものを掘るために多くの生命が動員され、無理な労働や暴力によっておびただしい生命（人間のだけではない）が、失われたということ。

それを考えると、くらくらした。当時はまだ登ることができたボタ山に登ると、さらにくらくらした。どの国でも、これと似たような生命と生命の取り引きのようなものが資本主義の土台を作り、さらに、そうした土地の多くが閉山後は原野山林に戻っている。たくさんの慰霊碑と陥没した道路を見ながら考えた。地球の歴史と人類の近現代史ががっちり重なったところに炭鉱がある。

大学を出てからも、たびたび筑豊に行っていた。炭鉱に関する詩歌を探しては読んだ。例えば、筑豊の人によって書かれたこんな詩。

この川　息しょるちばい。
ほら見てん　あの川底。
ぶくぶくあがってきよろうが、
あぶくが。

松江ちづみさんという人の「水没（すいぼつ）」という作品だ。『部落解放詩集　太陽もおれたちのものではないのか』（解放出版社）という詩集に収められている。一九八〇年に出た本だ。そこに記された経歴では、松江さんは福岡県田川郡川崎町の人、一九五四年生まれとなっている。

この詩が描いているのは、一九六〇年に川崎町の豊州炭鉱で起きた水没事故のことではないかと思う。長年の石炭採掘の影響で川底が抜け、豪雨が地底に流れ込み、炭鉱が水没して六十七人もの人々が犠牲になった。異常事態を告げる兆候はずっとあったのだが、手は打たれなかった。六十七人の遺体は、二十一世紀になった今も見つかっていない。

もしかしたら　まだ自分が死んだち
知らんとやないやろか。
ここらへんの炭坑が　つぶれたち
知らんとやないやろか。
坑内の奥の方で
今も　炭（すみ）掘（ほ）りよるんやないやろか。

炭鉱の詩歌を読むことには緊張感がある。否応なく死の濃度が高いからだ。「水没」の最後は「この野菊（のぎく）あそこに投げてやろうか。」と結ばれていた。

東京で暮らしていると、ときどき、炭鉱から来た人に会うことがあった。

小さな編集プロダクションで働いていたとき、たまたま仕事の段取りの関係で、スタッフの手が空いてしまったことがあった。写真の仕事をしていた人と二人で、時間つぶしに東京タワーに行った。事務所からとても近かったのだ。東京タワーなんて、中学の修学旅行以来十年ぶりである。東京の全景をぼんやり眺めながら、その人が「うちも閉山のとき、一家で九州からこっちに来たんだよ」と教えてくれた。「そのころの話ときたら、聞くも涙」と言って一拍置き、それから「語るも、笑い」と話してくれたのを、妙によく覚えている。この人は私がよく遠賀川周辺に旅行に行っていることを知っていたが、それまで何も言い出さなかった。

他にもいる。夕張から子供のころに東京へ来た人。閉山後のいわきから、大学生になって東京へ来た人。

炭鉱の詩歌といえば、山口好(やまぐちこのむ)という、大正期のアララギの歌人が有名だ。『歌人山口好とその周辺』(大牟田近代文芸家顕彰会編・発行)、『九州の歌人たち』(阿木津英他編・著、現代短歌社)などで作品を読むことができる。大牟田市の延命公園には、次の歌が刻まれた歌碑がある。

掘りいだす落盤下の片足はわらぢをはきてゐたりけるかも

一八九五年に九州の大牟田に生まれ、三池炭鉱とともに生きた人だ。一九一七年、彗星のように「アララギ」に現れ、島木赤彦に絶賛された。

坑(あな)そとは雨降るならむ入り来る炭箱はみなぬれてゐにけり

死にたれどまぶたつぶらぬ黒馬は臺車に積まれはこばれゆけり

坑内で石炭を運ぶ馬たちは、一度地底に下げられると死ぬまで地上に出ることはなかったという。四十度を超える高温多湿な環境、粗食と重労働のため、平均二年ほどで死んでいったという証言もある。

山口好は一九一九年、米騒動の翌年に家族を連れて上京している。島木赤彦本人の勧めがあったようだ。アララギ発行所に身を寄せて工場に勤めたりもしたが、体を壊して翌年大牟田に戻り、その年の秋に腸チフスで亡くなっている。まだ二十六歳だった。短歌を発表していたのはわずか三年間にすぎない。

山口好が三池炭鉱で働いた期間は長くなく、約五か月ほどだった。本業は鶴嘴鍛冶（坑夫が使う鶴嘴などを製作・修理する仕事）であり、その仕事で生計を立てるのが難しくなって一時期坑内に入ったということらしいが、その期間の写生の鋭さは際立っている。と同時に、彼のように一時期だけ炭鉱を通過した人口がいかに多かったかということも思う。その膨大な群れの中の一人が、夏目漱石に身の上話を聞かせ、『坑夫』を書かせたのである。

炭鉱を離れた人、通過した人。大都市にはそういう人が大勢、生きてきた。逆に、大都市とはそういう場所なのだと定義することもできるのかもしれない。エネルギーを作り出すために働いた人々が次々に移動してきて、エネルギーの使われる場所を見届けている場所。

特に戦後の閉山ラッシュの時期、「炭坑地帯から幾十万人の人びとが四散する姿は、敗戦によって国の内外から人びとが炭坑や未開の山野へと流れるのに似ていた」と森崎和江は書いた（「「近代と労働」を見つめる眼」『上野英信集2　奈落の星雲』解説、径書房）。その人たちやその子孫たちは、炭鉱のことを知らない人々のとても身近にいて、同じ都市の空気を吸い、間近で生きている。

沖田きみ子さんは閉山後埼玉に住み、後に俳句を作り始め、『雪中花』（美研インターナショナル）という句集を出された。そのあとがきには中学卒業の折、国語の先生がサイン帳に「悲しい時も嬉しい時も、決して詩を忘れないで下さい」といった内容の即興長詩を書いてくれたと記されている。それらのことどもについて、「戦後の悲しい玩具であった」と述べた言葉もあった。句集のタイトルとなった句は「雪中花わが十七歳は詩を愛し」。

沖田さんの悲しい玩具は、五十年以上も、詩歌だけにできる方法で日本の重要な一隅を照らしてきた。思えば、「死の花粉」とは何と卓越した表現だったのだろう。石炭から石油へ、原子力へ、そして福島第一原発の事故以降は再び火力発電量が増えている。見えないことにされてきた、受粉しなかった死の花粉が、今も都市には満ちている。

「死の花粉」の最後は、このように結ばれている。

炭鉱の人が夢みたどこにも
死の花粉が雪のように乱舞し

命がふるえ
いのちがふるえて街があふれている

詩人・仲村渠の路地をたどる

仲村渠（一九〇五―一九五一）という沖縄の詩人がいる。一九二〇―三〇年代にかなり注目された人だが、詩集を一冊も出さずに死んだのであまり知られていない。

詩集のない詩人だから、地図上にピンを打って「ここ」と示すことはできないが、その代わり路地のように方々へ通じていて面白い。沖縄の言葉では「すーじ小」というのだろうか。「すーじ」は「細道」、「小」は愛称のような接尾辞だ。仲村渠を追っていくとすーじ小がどんどん枝分かれして、そこからいろんな人がぞろぞろつながって出てくる。

二〇二〇年に亡くなった作家の大城立裕さんが、私家版の仲村渠詩集を作っていたという。それが那覇の沖縄県立図書館にあると知ったので、図書館に申請してコピーを送ってもらった。一ページめは万年筆で書かれた目次で、以後、北原白秋が一九二六年から主宰した雑誌『近代風景』の誌面のコピーが続く。この雑誌に初めて掲載された仲村渠の詩はこれだ。

白昼だから　秋だから　原つぱは白かつた
白昼だから　秋だから　空も白かつた
原つぱのまんなかでひとり
戸山学校の生徒が喇叭を吹いてゐた

（「白い独楽（こま）」冒頭　『近代風景』一九二七年一月号）

愉快でリズム感がよくて、声を出して笑ってしまいそうになる。この時期の彼の詩は、空の高さ、吹き抜けの爽快さが特徴で、気象台、月、飛行機といったアイテムが頻出する。

そして、『近代風景』に最後に掲載された詩は次の通りだ。

最後の手紙

氷になつて
午后一時　A広場のまんなかで消えてしまう。
＊
贈つてもらつた独逸製の目醒し時計の中に隠れるから
灯台の尖へあがつていつて

海の方へ力いつぱい抛つてくれたまへ。

*

太平洋のまんなかには、ちツちやくて綺麗な魚はゐないだらうか
かならず僕を喰べてほしい、豆になつて跳びこむから。

*

せツちやん。
君は僕のいふことを聞いてはくれぬ故、僕は以上三ツのいづれかを実行します。では、達者でね。
さよなら。

（『近代風景』一九二八年九月号）

　この作品はおそらく、仲村渠の詩の中で最も有名なものではないかと思う。瀟洒（しょうしゃ）、闊達、無国籍。沖縄での詩友であった牧港篤三が、「颯爽（さっそう）とした詩風だが、どこかペーソスが滲（にじ）んでいる」と評した通りだ。
　それにしても、こうやって綴（つづ）って保存していたのは、大城さんにとっても読み返したい詩人だったからなのだろうか。
　実は、大城版仲村渠詩集にとてもよく似たコピーの綴りがわが家にもある。それは、仲村渠の路地が、朝鮮にも通じていたからだ。

彼と全く同時期に、朝鮮の有名な詩人、鄭芝溶（一九〇二―一九五〇）も『近代風景』の常連投稿者だった。二十年近く前に私は鄭芝溶のことを調べており、日本近代文学館で『近代風景』のコピーをとったことがあった。

大城さんのと私のと、二部のコピーを並べてみた。仲村渠と鄭芝溶、どちらを追っていても、もう一人に気づくようになっている。二人の作品が何度も並び、しかも、雑誌の中でどちらも際立って冴えているからだ。

鄭芝溶は、関東大震災の起きた一九二三年に京都に来て、同志社大学で英文学を学び、『近代風景』が創刊されると、本人の言葉によれば「ちよつと冒険のやうなつもりで」日本語の詩を投稿した。例えば、このような。

海

しめつぽい浪のねをせおつて一人で帰る。
どこかで何物かが泣きくづれるやうなけはひ。

ふりむけば遠い灯台が　ぱち　ぱち　と瞬く。
鷗が　ぎい　ぎい　雨を呼んで斜ひに飛ぶ。

泣きくづれているものは灯台でも鷗でもない。
どこかに落された小さい悲しいもののひとつ。

（『近代風景』一九二七年二月号）

鄭はその後、朝鮮の文芸界で一つの時代を作り出すほど有名な詩人となった。それまでの朝鮮では感情表出に重きを置く詩が主流だったが、鄭芝溶は優れた言語感覚によって変革をもたらしたと高く評価されている。その一端は、第二言語で書いた習作、「海」にもよく表れているだろう。

仲村渠と鄭芝溶は間違いなく、『近代風景』のスターだった。白秋が当時「朝鮮或いは琉球出身の若い詩人たちは日本語感に対して格別尖鋭であるやうに思はれる」と書いたことがあるが、それがこの二人を指していたことは明らかだ。また、『近代風景』の編集を担当していた藪田義雄も、「鄭芝溶と仲村渠、この二人の若い詩人は『近代風景』が新に発見した多くの詩人中もつとも光つていると謂（い）へる」と述べた。

白秋のいう「格別の尖鋭さ」とは、それが異邦人の日本語だったことと無関係ではないのだろう。沖縄と朝鮮を単純に比較することはできないが、生まれた土地の日常語と文芸日本語との間にはっきりした距離のある二人だからこそ、風通しの良い、端正な、一語一語が粒立つような詩が生まれたのではないだろうか。

二人とも、独自の歴史を背景に持ち、日本に巻き込まれる形で近代を迎えた詩人だ。そして、沖縄や朝鮮の風土やその困難を、むき出しに歌いはしなかった。

独自の歴史と文化によって測る日本語との距離。それをいうなら、「仲村渠」というペンネームそのものが、距離を語っていた。「仲村渠」とは「なかんだかり」と読み、他ならぬ彼の苗字そのものだからだ。彼の本名は「仲村渠致良(なかんだかりちりょう)」というのだが、これを初見で読める内地の人間はまずいないだろう。名乗るたびに同じ説明をくり返し、驚く顔を見なくてはならない面倒臭さをあらかじめ回避して、名前の下半分をぶった切ってしまった仲村渠。そこに、妙にモダンな「ナカムラ・カレ」という響きが生まれた。

先にも書いたが、「最後の手紙」は、『近代風景』に発表された最後の詩である。その後仲村渠の名は、堀口大学の主宰した『オルフェオン』で青柳瑞穂、菱山修三らと並んだり、また『旗魚』の同人として村野四郎、岡崎清一郎、福原清らと並んだ。ここに掲載された作品はキュビズムの色彩が濃い。

一九四一年に出た『現代詩　昭和十六年春季版』(日本詩人協会編)にも、錚々(そうそう)たる顔ぶれと並んで六編が選ばれている。そう見てくると、なぜ仲村渠に詩集がないのか、よくわからなくなってくる。

中学時代には山之口貘と同人誌『ほのほ』をやっていたという。最初から詩を目指し、一流の雑誌で認められていた人なのだ。新屋敷幸繁、津嘉山一穂、伊波南哲といった沖縄の詩人がどんどん詩集を出していた時期に、彼ら以上に活躍し、注目されていたといってよい人である。那覇では、退役軍人の兄が呉服商をやって成功していたというから、詩集の一冊ぐらい出せなかったのかなと思ってしまうのだが。

仲村渠がいつ那覇に戻ったのかはわからないが、そこでもいくつか同人誌をやり、妻とともに小さな半襟屋を営んでいたという。半襟屋とは、何て詩人らしい商売だろう。店は文学仲間のたまり場だったそうだ。『現代詩』の巻末に出ている現住所は那覇市上ノ倉町二ノ八九。

けれどもこのとき、悠長な時代はとっくに終わっている。『現代詩』から三年後、笹沢美明が編んだ『飛行詩集　翼』には仲村渠の「魚雷の歌」「稲田にて」の二編が採られている。渠がたびたび飛行機や空の詩を書いていたので依頼を受けたのかもしれないが、一冊まるごと、空で戦う日本兵たちへのオマージュの詩集だ。奥付は昭和十九年十一月。沖縄戦を目前にした、ぎりぎりの年末である。

「魚雷なり／美しき魚雷なり／頰あかきかの兵の／「命中たのむ」と念じ給ひし魚雷なり」（「魚雷の歌」）と書いたとき、渠は勝つものと思っていたのだろうか。同じころ、すでに朝鮮で大詩人になっていた鄭芝溶は、ほとんど絶筆することでこの苦しい時期をやり過ごした。

何はともあれ仲村渠は沖縄戦を生き延びて、県内で最も早く創刊された新聞『ウルマ新報』（のち『うるま新報』と改称。『琉球新報』の前身）の記者となった。

一九四九年に創刊された雑誌『うるま春秋』には、編集人として仲村渠致良の名前が載っている。創刊号には彼の「海のあきんど」という短い詩が見える。「板子一枚　したは地獄よ／くさりでなしに　命の綱が　陸を陸地にむすぶとよ」と始まるものだが、レイアウトを見ると、仲村渠編集長がスペースを埋めるためにちょこちょこっと書いた「埋め草」なんじゃないかと邪推してみたくなる。それはそれで戦後の雑誌らしい熱気を感じるが、これが仲村渠の詩だろうかといぶかしく思うのも事実なのだ。

けれども、これを埋め草というのなら、「魚雷の歌」のときにすでにもう、そうだったのではないか。才人だったこの人は、これくらいのものならいくらでもすらすら書けたに違いない。同時に、才人だからこそ、詩集を編むとしたらもっともっと完成度が欲しかったのかもしれない。

後輩記者たちの証言を読む限り、快活に働く記者・編集者としての横顔も見えてくる。しかし、親しい詩人仲間だった牧港篤三は、戦前、戦後を通じて彼には奇矯な行動が見られ、酒によって体を壊したと証言している。一九五一年十二月、仲村渠病没。

「一九四四年（昭和十九年）から戦争を挟んでの数年間の時期、たいていの沖縄人たちが、戦争難民であったことを思えば、誰一人としてみじめな彷徨性を帯びない者はいなかったはずである」と牧港篤三は言う（『幻想の街・那覇』、新宿書房）。その中を通過しつつ、仲村渠の路地はどこにも行き着かず揮発した。「最後の手紙」の、「A広場のまんなかで消えてしまう」という予言のような一行とともに。

仲村渠が死ぬ前年の一九五〇年、鄭芝溶も地上から消えた。朝鮮戦争が起きた直後、北朝鮮軍に連行されて消息を断ったのだ（同年に死亡したことがわかっている）。しばらく『近代風景』に集まった二人の詩人はモダニズムの路地で行き合い、すれ違い、一度も顔を合わせることなく、それぞれの現代史に飲み込まれて死んだ。二人ともまだ、五十歳になっていなかった。

※ 仲村渠の詩の一部は『沖縄文学全集　第1巻』（国書刊行会、一九九一年）に収録され、現在は同じものを青空文庫で読むことができる。

一九一六年、漱石と李光洙（イグァンス）

先日、韓国で「近代文学の祖」と呼ばれている作家、李光洙の自伝的な文章を読んでいて、思わず笑ってしまった。昔『三四郎』などを愛読したという回想の後に、「夏目漱石から私が何を学んだのかはわからないが」と書かれていたからだ。この文章の後には「（わからないが）好きだった」という内容が続くのだが、ともあれ、正直な人だなあと思う。私も以前、韓国の知人から「漱石ってどういう作家なの」と聞かれて困ったことを思い出した。私自身も、漱石については「何を学んだのかはわからないが、好きだ」の類だという気がする。

ちなみに、李光洙は確かに「近代文学の祖」だが、その影響力は文学の領域を大幅に超えている。独立運動家でもあり、言論人でもあり、一時期は確かに民族の精神的支柱だった。李光洙のような文学者は日本にいないし、そういう人がいなくても済んだところに彼我の違いがあるのである。その波乱万丈の人生については、『李光洙――韓国近代文学の祖と「親日」の烙印』（波田野節子、中公新書）という良い案内の書があるので読んでほしい。

で、話を戻すと、先にも言ったとおり私自身も漱石はとても好きだが、漱石を一冊も読んだことのない外国人に漱石を説明するのは至難の技だ。特に韓国人に対しては、「則天去私」などを持ち出そうにも、なまじ同じ漢字文化圏だけに、かえって難しい。「要するに、日本人に何を教えたの」と聞かれて「うーん」とうなってしまう私に、「お札になるぐらいなんだから、相当大きな影響力があったんだよね?」と相手はいぶかしげだった。

あのとき、「でも、李光洙もよくわからないって言ってる」と答えたら納得してもらえたのだろうか。いや、さらに混乱させたかもしれない。李光洙は日中・太平洋戦争下で対日協力の先頭に立ったため、民族の裏切り者として徹底断罪された人でもあるからだ。これほど激烈な評価の落差を経験した作家もまた、日本には存在しない。

李光洙も漱石も、それぞれの国で間違いなく最も多く論じられてきた文学者であって、そこに私がつけ加えることなど何もない。だからここには、李光洙のその文章をきっかけに考えたことを一読者としてメモしておこうと思う。

『三四郎』に、登場人物たちが団子坂の菊人形を見に行くシーンがある。途中で彼らは物乞いをする男を見かけ、平気で通り過ぎるが、しばらくして広田先生が急に三四郎に聞く。

「君あの乞食に銭(ぜに)を遣りましたか」。

熊本育ちの三四郎は、乞食には施すべし、日本の発展は喜ぶべしという空気の中で暮らしてきた。だが、都会人たちは違う。若い女性二人は「遣る気にならないわね」とか「ああ始終焦(せ)っ着(つ)

いていちゃ、焦っ着き栄がしないから駄目ですよ」などと言うし、広田先生は「いえ場所が悪いからだ」「山の上の淋しい所で、ああいう男に逢ったら、誰でも遣る気になるんだよ」と批評する。

三四郎は密かに、「自分が今日まで養成した徳義上の観念を幾分か傷けられるような気がし」てショックを受けるが、本当のところは自分も、うるさい大声を張り上げているその男にお金をやりたくない気持ちがあったことを認めざるをえない。要は、彼らの方がずっと自分自身の気持ちに正直なのであり、それができるのは彼らが洗練された都会人種だからだと、三四郎は考える。

この箇所を高校時代に初めて読んだとき、何かちょっと新鮮なショックを受けたことを覚えている。その印象は今でも基本的に変わらない。この小説には地方出身者を惹きつける何かがあり、それを都会人の漱石が書いたのだということは、覚えておくべきではないかと思う。それと同時に、ここに表れた偽善というものへの視線も興味深い。私は長らく、日本においては多くの人が偽善への嫌悪感を共有してきて、それがときには「善」そのものへの指向性すら上回ってしまうことがあるのではないかと感じてきたのだが、『三四郎』のこのあたりにも、その一端が出ているような気もする。

ここに、例えば李光洙の小説の一節を並べてみよう。

「いま乞食を虐めて馬鹿にすることは、将来あなたの子孫が私の子孫に同じことをしても構いませんということではないか」。

『三四郎』から八年後の一九一六年に書かれた李光洙初の長編小説『無情』(波田野節子訳、平凡社)で、主人公の若い英語教師、李亨植(イヒョンシク)が言う言葉だ。補足しておくと、『無情』に実際に乞食が出てくるわけではない。これは亨植が、恵まれた環境の人がそうでない人を蔑む愚かさを批判する場面である。よほど強調したい内容だったのだろう、李光洙は表現を変えて何度も亨植にこれを言わせている。十歳で孤児になり、世間の冷酷さをよく知っていた李光洙らしい啓蒙的なせりふだ。

『無情』は、ハングルで書かれた初めての本格的近代小説であり、朝鮮初の新聞小説でもある。『無情』という題名から植民地のつらく悲しい現実を描いた小説を想像するかもしれないが、そうではなく、読んで面白い啓蒙的エンタメ小説といえるだろう。要は、新式の教育を受けた男が「これから何をやろうか」と「どの女と結婚しようか」という二大問題を抱えて社会をうろうろするという趣向で、その点は『三四郎』と似ているが、『無情』はぐっとメロドラマ色が濃いのである。特に、優柔不断な男とまっすぐな女たちの対比が面白く、この連載を読むのは楽しかっただろうなと思う。実際、翻訳小説ではない、若い朝鮮の男女そのものが恋をしてソウル、平壌(ピョンヤン)と駆け回る『無情』は、若い読者層から熱狂的な人気を集めた。

ラストシーンでは、五行おきぐらいに考えがころころ変わるほど定見のなかった亨植が急にしっかりして、教育と科学で朝鮮を変えるのだと意気込む。そして、「暗い世の中がいつまでも暗いはずはないし、無情なはずがない」と、高らかに希望が歌い上げられる。タイトルの「無情」

はここに由来するのである。どこまでも淡い『三四郎』の結末とはまるで対照的だ。どちらも百年以上前の小説なのに、三四郎は十分に、大江健三郎式に言えば「あいまいな日本の私」を体現しているみたいだし、亨植は亨植で十分に、現在の韓国文化コンテンツに見える向日性、積極性を体現している。

「乞食」をめぐる二つの言説もそうで、漱石はさりげなく偽善を諫め(いさ)、李光洙はきっぱりと悪を諫める。どうも、この対比は現代の日韓の小説の違いにもうっすらと地続きで存在するように思う。そのまばゆい正論は、女性たちが口にするときにいっそう際立つ。例えば『無情』の次の一節のように。

「考えてもご覧なさい、あなたみたいに悲しい目に遭っている人が、この世であなただけだと思うの。とくにこの国は、そんな可哀相な人が山ほどいるはずよ。だったら私たちは、このいけない社会制度を変えて、せめて子孫だけでも幸せに暮らせるようにしてやらなくちゃ。(中略)あなたが自分の苦労に負けて死んでしまったら、それは子孫に対する責任の放棄よ。だからね、できるだけ長生きして、できるだけいっぱい働きましょうよ。さあ。泣いていないで、苺でも食べましょう」。

これは、日本留学中で夏休みにソウルに戻ってきた女子学生金炳郁(キムピョンウク)が、自殺しようとしている女性、朴英采(パクヨンチェ)にかける言葉だ。英采はもともと亨植の許嫁(いいなずけ)のような存在だったのだが、悲運のために妓生(キーセン)(娼妓(しょうぎ))に身を落としているのである。炳郁の正論は、苺のくだりまで含めて、二〇二〇年代の小説や、もっといえば韓流ドラマの中にあってもそれほどおかしくないのではないか。金炳郁は、実在する朝鮮初の女性西洋画家にして作家、羅恵錫（ナヘソク）がモデルといわれており、そのためにいっそう人物像が生き生きして感じられるのかもしれない。

だが、『無情』の一見底なしの明るさの背景には、それによってしか対抗できなかった暗さがある。李光洙自身、これを書いた一九一六年という時代について「朝鮮人は、併合直前に一時さかんであった政論さえもできず、固く口はつぐみ、筆は深く、深くおさめられて、死のような沈黙は永遠に、永遠につづくのかと思われました」（『朝鮮思想通信』、一九二九年）と回想した。

『無情』の最終回で、舞台はいきなり四年後の未来に飛ぶ。主人公たちはドイツ、アメリカ、日本に留学しており、やがて帰国することが告げられる。そして、四年前に比べて朝鮮はすでに大きく進歩しており、自分たちのような海外で学んだ男女が陸続と帰国すればさらに発展するだろうという楽観論が開陳される。

私は初めてこの小説を読んだとき、すべて読み終わってようやくあることに気づいた。この小説には留学先として以外に一切、日本が出てこない。文字通りの行きずりの人以外、日本人も出てこない。日韓併合からすでに六年が過ぎているが、朝鮮の未来を語るときにも日本の存在は一切捨象されている。批判が許されない以上、触れることをしなかったのである。そもそもこの小説が連載された新聞『毎日申報』は朝鮮総督府の機関紙であり、李光洙は最初から危険な綱渡りと知った上で勝負に出て、日本抜きの朝鮮の希望を描いたのだ。

そう思ったとき、物語の遠景と近景が一挙に入れ変わるような気がした。

李光洙が『三四郎』を愛読したと回想したのは、この小説を書いていた時期のことだという。『三四郎』の中で、「しかしこれからは日本も段々発展するでしょう」と三四郎が言うと、広田先生が「亡(ほろ)びるね」と答える、有名な車中の会話を思い出してみよう。そのとき三四郎は「日露戦争以後こんな人間に出逢うとは思いも寄らなかった」と驚き、「どうも日本人じゃないような気がする」と言う。ここの部分を、李光洙はどう読んだのだろうか。

そう考えてみると、漱石の奥行きもまた、思ってもみなかった方向へ伸びる。

一九一六年も押しつまったころ、李光洙は、漱石山房に近い高田馬場の下宿で『無情』の原稿をまとめ書きしていた。朝鮮初の近代小説は日本で書かれたのである。同じ時期に漱石は『明暗』を書きつづけ、十一月に倒れ、十二月九日に亡くなった。年が明けて十七年、朝鮮で『無情』の連載が始まる。漱石は四十九歳、李光洙は二十五歳。目と鼻の先で、西欧小説の咀嚼(そしゃく)、言文一致体の創出という大仕事が一方で締めくくられ、一方でスタートを切った。そのとき、何らかのバトンタッチは行われたと言えるのだろうか? 李光洙は後に、「何を学んだかはわからない」と書いた後、「(しかし)好きだった」と書き添えているけれども。

人の評価は棺を蓋うまでわからないとよく言われるが、棺を蓋ってもわからないことはわからないままだ。多くの人が指摘してきたように、漱石の作品の背景には常に戦争と植民地の影があり、ときどきひらり、ひらりと姿を現す。日韓併合の前年には満州と韓国を訪れ、『満韓ところごころ』を書いているし、『門』では、主人公の宗助が、伊藤博文の暗殺事件に関して突き放したことを言い、その意味をめぐってさまざまな考察がなされてきた。

だが結局のところ、漱石自身が日本の帝国主義と朝鮮支配をどう考えていたのかも、私たちの想像が簡単に及ぶところではないように思う。ごく少数を除き、朝鮮人にとっての朝鮮に関心を持つ日本人など、ほとんどいなかった時代の話である。ただ、日本語を第二言語として学んだ人たちが漱石を、『三四郎』を、どのように読んだかを考えてみることは、何かの助けになる。

漱石は死後六十八年めに伊藤博文に代わって千円札の肖像になり、李光洙は朝鮮戦争の際に北朝鮮軍に連行されて行方不明になった。まもなく死亡したとされるが、その詳(つまび)らかな状況は未だ明らかではない。三四郎と亨植が第二次大戦の終わりまで生き延びたとしたら、三四郎は六十歳ぐらい、亨植は五十代前半ぐらいだ。朝鮮がもはや日本でない日。そのとき二人がどこかで出会ったとしたら、彼らは話が通じただろうか？

旧正月の李箱(イサン)の手紙

日本は明治維新とともに早々に陰暦を捨ててしまったが、知られている通り、アジアの諸地域では新暦の正月より旧正月の方を盛大に祝う。韓国もそうで、日本による植民地時代を含め、新正月の普及が図られた時期はかなりあったが、長く続いた習慣への愛着は変わらず、人々は旧正月を祝い続けた。

毎年、年はじめに東京・神田の神保町を歩くと、「今年の旧正月は何日だったっけ」と思う。李箱のことを思い出すからだ。詩人・作家で、一九三六年から三七年にかけて東京に住んでいた人だ。

一九三七年の旧正月は新暦の二月十一日だったそうだ。その前夜、李箱は、東北帝国大学に留学中だった先輩詩人の金起林(キムギリム)にあててこんな手紙を書いていた。

「今日は陰暦の大晦日です。郷愁が台頭しています」。

李箱は韓国文学史上、最も伝説だらけで最も魅力的な文学者だといっていい。一人突出したモダニストで、数列や図形などを用いたモダニズム詩や、新心理主義的な短篇「翼」(長璋吉訳、『朝鮮短篇小説選』、岩波文庫ほか)が有名だ。「翼」には、京城(当時)の陽のあたらない部屋に起居し、妻に食わせてもらい、なすこともなく町を徘徊する男の奇妙な日常が描かれている。主人公はやがて脇の下にむず痒さを感じ、それは自分に人工の翼が生えていたころの跡だと思う。最後に彼は三越百貨店京城店の屋上に立ちつくす。そして、「飛ぼう。飛ぼう。もう一度だけ飛んでみようじゃないか」という独白で物語が終わる。

李箱自身も京城生まれのモダンボーイで、実生活では奇人で知られていた。本名は金海卿といい、李箱はペンネームだが、これは「異常」の同音異義語である。

一九三六年の秋、李箱は突然東京にやってきた。二十六歳だった。それが彼の晩年にあたるということを、彼自身は予感していたのかどうか。後に金起林は李箱について、次のように回想している。

「もう少し事情が許したなら、まちがいなく、私との約束通りパリへ行ったであろう。この脱走、逃亡、抛棄、清算——いろいろと複雑な動機を持ったこの長旅は、あえて求めるならランボーの失踪にも比肩しうるか」。

だが、来るや否や李箱は東京に幻滅した。半年にも満たない滞在期間中にかなりの量の文章を書いたが、日本の印象記は手厳しい。丸ビルが予想以上に小さいことに呆れ、新宿を「鬼火のような繁栄三丁目」、銀座を「一冊の虚栄読本」、そして富士山は「おままごとのお菓子みたいに可憐」だと描写した。

幻滅をなだめる一つの方法が、二歳年上の先輩で、一足先に日本に来ていた金起林に手紙を書くことだったのだろう。

「僕はここで寂しくて、甚だしく貧しい。ただ何枚かの手紙が、かろうじてこの哀れな人間の命脈をつないでくれているのですよ。あなたの健康を祈るのもおかしな話だから、そちらのラブ・アフェアに幸運のあらんことを祈るよ」。

「腰地方はちょっとは平定されたのかな？　病院への通勤は免れたの？　あなたはスポーツという超近代的な政策にマンマト引っかかったわけだね」。

二つめの引用は、バレーボールで腰を痛めた金起林を李箱が冷やかしているところらしい。「マンマト」は、カタカナで書かれている。デカダンに見える生活をしていた李箱と、勉強家で健康志向の金起林は、対照的だが、いいコンビだったようだ。三六年に起林は初の詩集『気象図』を出したが、この本の装丁は李箱が手がけていた。志を同じくする文学者の集まり「九人会」の先輩と後輩として、心おきなくつきあえる仲間だった。

金起林は朝鮮日報の辣腕記者であり、国際情勢に詳しく、文学面ではモダニズムの理論的支柱のような存在だった。記者になって間もない二十二歳のころ、中・朝国境の間島（カンド）で起きた「間島五・三〇事件」の取材に派遣され、極めて限られた条件下で朝鮮人の武装蜂起を取材、その見聞をあくまで「紀行」として連載記事にしてみせた手腕は見事だった。

東京の旧正月が、李箱にはわびしかったのではないだろうか。起林に当てた陰暦除夜の手紙を読むと、彼がかなり追い詰められていたことがうかがえる。そして、旧正月を期に生活を改めたいと思っていたらしいことも。

「しょっちゅう自分を見失いそうになるけれど、良心、良心なんてつぶやいてもみます。悲惨なもんですよ」。

「閑話休題——三月にはぜひ会いましょう。(中略)会って、結局何の話もできずに別れることになったとしても、とにかく会いましょうよ。僕がソウルを発つときに考えたことは全く、かなうはずもない桃源夢でした。こんなことではほんとに自殺でもしかねない」。

ちょっとほろりとさせられる。李箱はときどき、太宰治に似ているといわれたりするのだが、この人なつっこさにその所以(ゆえん)があるのかもしれない。

「三月ごろには東京もあったかくなっているだろう。東京に寄ってくださいよ。散歩でもしましょう」。

李箱はこの手紙で「三月」という言葉をくり返した。旧正月のころに思い浮かべる三月は、いかにも希望に満ちている。起林と散歩していたら、李箱もまた別の東京スケッチを残すことができたのだろうか。だが、盧溝橋事件と日中戦争をすぐ後に控えたこの時期に、やがて戦争協力に巻き込まれていく植民地の人々が、明るい予感を抱くことができたはずがない。

そして三月、起林は本当に李箱に会いに東京に来た。散歩どころではなく、深刻な見舞いだった。陰暦除夜に手紙を書いた直後、李箱は、神田のおでん屋で飲んでいたところを見とがめられて捕まり、二月十二日から三月十六日まで西神田警察署に勾留されたのである。持病の結核が悪化して保釈され、金起林が李箱を訪ねたのはその直後だったらしい。

李箱はすっかり弱っていたが、起林を迎えて喜び、起き上がって二時間、ほとんど一人で喋りつづけた。四月にまた会おうと約束して別れるときには「じゃあ行ってらっしゃい。僕は死なないから」と言ったという。しかし四月十七日、約束を果たさないまま、李箱は東大病院で死んだ。享年二十六歳七か月。朝鮮にいたころすでに健康を害していたとはいえ、無残というべき最期である。

そして解放後、金起林は李箱の遺稿の出版に尽力した。一九四九年、起林が序文を添えた『李箱選集』が世に出る。だが、そのときすでに朝鮮半島は二分されていた。バランス感覚に優れたリベラリストの金起林は、中道勢力による対話で朝鮮半島に統一政府が樹立されることを望んだだろう。しかし現実は逆行した。

金起林が最晩年に発表した文章の一つ、「小説の破格」は、カミュの『ペスト』論である。「1950. 4. 10」と日付が入っており、朝鮮戦争勃発までわずか二か月ほどしかない。当時、韓国で『ペスト』はまだ翻訳されていなかったようで、起林はおそらく、四八年に出た英語版を自分で読んでこれを書いたのではないかと思われる。未読の読者たちを慮ってか、ランベールとリウーの対話をかなり長く引用しながら、「ペストの町は占領下のフランスをのみ象徴するものではない」「自分の手で引き寄せたのではなく、知らぬ間にその中へ引きずり込まれてしまったこの電磁力の〈場〉としての人生で、人間たちはいったいどのように生きていけばよいのか」と書いた。『ペスト』を論じる金起林の目は、世界地図の中の自分の位相を見据えている。いうまでもなく朝鮮半島が、ソウルが、ペストの町だ。そして『ペスト』は、「この運命的な瞬間をどのように生きていくか、というより死んでいくかという問題を、寓意を借りて十全に分析検証する小説」であり、だから破格なのだと金起林は説いた。

「どのように生きていくか、というより死んでいくか」。これがそのまま起林本人にあてはまってしまうことに、後世の我々は愕然(がくぜん)とする。同じ文章の中で彼は、「戦争は目的のための手段のうち最も残忍な組織であり、駆使である」「戦時にのみ存在しうる体制を平常時に準備したり維持したりすることは、他でもない全体主義そのものである」と警鐘を鳴らしたが、すでに言論の自由は狭められて久しく、自分の息ができる余地がもう広くないことを感じていただろう。

彼が書いた『李箱選集』の序文には、李箱の魅力を「切迫した緊張の引力」と表現した箇所があった。「切迫」と「緊張」というキーワードは「小説の破格」でもくり返され、これこそ金起林本人の心境告白だっただろうと、推測できる。

朝鮮戦争が始まった直後、金起林は家族の避難先を探すためにソウルの自宅を出て、それきり消息を断った。四十二歳だった。夫人の回想によれば、人民服を着た若者らによって金起林が強制的にジープに乗せられるところを見たという目撃証言があったそうだ。しかし、戦時、戦後の混乱の中、事実関係を調査する余裕もないまま、金起林は自分の意思によって北朝鮮に赴いた「越北文人」と分類され、以後、その著作のすべてが発禁扱いとなった。全六巻から成る金起林全集が韓国で出たのは、民主化後の一九八八年のことである。もし生きていれば当時八十歳だったはずだが、生死のほども不明だったし、どこでどう死んだのかは未だにわかっていない。仲村渠の回で取り上げた詩人、鄭芝溶と全く同じ運命だ。鄭芝溶も、金起林・李箱と同じ「九人会」のメンバーだった。

朝鮮戦争の休戦後、李箱は一躍若者のアイドルとなった。二人の偉大な先輩の文名が文学史から消され、自分はそれと引き換えのように伝説の人となったことなど李箱自身は知るよしもない。そして今や、その名前を冠した「李箱文学賞」は、韓国最高の文学賞である。

李箱がかつて日本語で書いた詩の一節を最後に挙げておく。「人は逃げる、迅く逃げて永遠に生き過去を愛撫し過去からして再びその過去に生きる、童心よ、童心よ、充たされることはない永遠の童心よ」。

※ 李箱の手紙と金起林の引用文はすべて拙訳による。

※ 金起林については、『朝鮮文学の知性・金起林』（青柳優子編訳・著、新幹社）に詩・随筆・評論の翻訳と充実した評伝が収められている。また、二〇一八年に日韓パートナーシップ宣言二十周年を記念して、東北大学片平キャンパスに東北大学と「コリア文庫」（現在は「金起林記念会」）の努力によって金起林の詩碑が建てられた。

脱北者が読むジョージ・オーウェル

二〇二三年は、朝鮮戦争が休戦を迎えて七十年目にあたる。

この戦争が始まったとき、ほんの何週間かで終わると思った人は多かったらしい。それまでにも三十八度線付近ではよく小さな衝突が起きており、まさか本格的な戦争になるとは思いもしなかった人がいたであろうことは十分想像がつく。様子見をしていて、ソウルから避難する機会を逸した人たちもいる。

開戦三年目の一九五三年に休戦協定が取り交わされたが、これはあくまで休戦であって終戦ではない。よく、この状態を指して「撃ち方やめ」にすぎないという言い方をするが、「撃ち方やめ」の姿勢のままで七十年が経つと思った人もまた、いなかっただろう。以後今まで、南北双方のおびただしい人々が戦争に備えるために膨大な時間を費やしてきた。

「知ってる？　一九八四年って、朝鮮が分断されて三十六年目なんだよ」

来年はその年だという時期に、在日コリアンの知人がそう言ったのを覚えている。もちろん、ジョージ・オーウェルの小説『一九八四年』にからめてのことだ。

三十六年というのは、朝鮮半島に関心のある人にはピンと来る数字だ。日本の植民地にされた一九一〇年から四五年までの期間を、「日帝三十六年」と呼ぶ習慣があるからだ。厳密にカウントすれば三十五年間と少しだが、足かけ三十六年ということなのだと思う。日本の敗戦後、朝鮮半島の北にはソ連、南にはアメリカが進駐してきて三十八度線が引かれる。一九四八年には朝鮮民主主義人民共和国と大韓民国が樹立して、分断が固定化してしまう。その状態のまま、日本の植民地だった期間と同じだけの時間が過ぎてしまったと、その人は言っていたわけだ。

当時、在日コミュニティでそんな話がやりとりされていたのかどうかはわからない。他では聞いたことがないから、その人だけの発想だったのかもしれない。今は連絡が途絶えてしまって確かめようがないのだが、『一九八四年』というとこのことを思い出す。

『ジョージ・オーウェル――「人間らしさ」への讃歌』(川端康雄、岩波新書)を読むと、最初のページに「いまでは不思議なことに思えるのだが、昭和時代中期の日本の論壇において、ジョージ・オーウェルは政治的左派や進歩的知識人の多くから忌み嫌われていた」とある。『一九八四年』の日本語版(吉田健一・龍口直太郎訳、文藝春秋)は朝鮮戦争が始まる少し前の一九五〇年四月にGHQのお墨付きで刊行され、冷戦体制下の反共小説として流通していたそうだ。

私も、そうした空気の名残りのようなものをほんの少し知っている。件(くだん)の知人はオーウェルを大変尊敬していたが、それだけに「『一九八四年』は、韓国じゃ反共の教科書なんだろうな」と憂鬱そうな顔で言っていた。周囲の大人たちの話を聞いていると、オーウェルに対する態度には世代によるグラデーションがあり、確かに、一九六〇年の安保反対闘争のころに二十代だった年長の人たちは、かつて「オーウェルなんか」と思っていたころがあるようだった。

だが、そんな前史を知らない私にとっては、オーウェルは最初からいいに決まっている作家だった。最初に読んだのが八二年に出た『オーウェル評論集』(小野寺健訳、岩波文庫)で、ご多分に漏れず「象を撃つ」や「絞首刑」に感激したし、『パリ・ロンドンどん底生活』は世界一好きな本だと思っていた時期があるし、『カタロニア讃歌』や『空気を求めて』も好きだった。だが、最も有名な『一九八四年』と『動物農場』がだめだった。これらとあれらとでは、オーウェルが別人みたいに感じられた。

特に『一九八四年』に関しては、ちょっと奇妙なほど挫折しつづけた。これは正確な言い方ではないかもしれない。何度挫折したのか、いや、本当に挫折したのかどうかすらはっきり覚えていられなかったのだから。何度となく頭から読みはじめ、ぞくぞくして、「すごいなあ」と思う。「こんなにすごいんだから、最後まで読めるに決まってる」とも思う。ところがある時点で「前にもだんだん読めなくなったよなあ」という気がしてきて、何となくフェードアウト。とにかく、一九八四年の段階で『一九八四年』を読み通してはいなかったと思う。

だが、これは私だけではないのかもしれない。私が読もうとしていたのは新庄哲夫氏訳のハヤカワ文庫の旧版だが、二〇〇九年に出たハヤカワepi文庫版の高橋和久氏の訳者あとがきによれば、英国での「読んだふり本」第一位が『一九八四年』だというから、途中で挫折する人が多いのかもしれない。

とにかく、この小説の何かがあまりに嫌で、脳が受け入れるのを拒んでいるみたいだった。だが、そんな本は他にもある。嫌なら読まなければいいだけだ。なのに、なぜか『一九八四年』だけは、しばらく経つとまた読めそうな気がしてくるのだった。読んだふりをしたいのでは決してなかった。とにかく、挑戦するたび同じ経過をたどり、まるで学習がない。同じ病気で入院して同じ経過で推移するが、治ったのかどうか曖昧なままで退院するような感じ。そしてそのまま、世紀が変わってしまった。

ところが、『一九八四年』が読める日がやってきた。二〇一一年の東日本大震災と福島第一原子力発電所の事故の後である。三月十一日、私は会社から歩いて夜中に自宅マンションに着いたが、まず、通路に散乱した文庫本を片付けないことには部屋にも入れなかった。そのときなぜか、下の方にあった『一九八四年』を拾って、別にしておいた。

『一九八四年』の主人公ウィンストンは「真理省」に勤め、過去を現在の状況に合わせて書き換える仕事を担当している。原発事故の後の何を信じていいのかわからなかった日々に、この小説の描写がそれまでにないリアリティで響いた。東京電力の記者会見で示される数値が信じられず苛立つ気持ちも、意見の相違で人と人の間に亀裂ができて落ち込む気持ちもこの小説にシンクロして、毒をもって毒を制するとでもいうのか、初めて読み終えることができた。そしてこのとき、最後の方で、「何だ、自分はこんなに終わりの方まで読んでいたのか」とびっくりした。読んだ人はわかると思うが、ウィンストンにダメージを与えるあの動物の描写が出てきて初めて気づいたことである。

それに気づいたからといって別に嬉しくはない。とことん気の滅入る小説だ。だが三・一一後に初めてこれを自覚的に読み終えることができたのは、この世が少しディストピアに近づいたと思ったときに、改めてその内容が染みたからかもしれない。そう思うと、あまりに当然すぎて拍子抜けする。

それから何年も経った後、パク・ヨンミの『生きるための選択――少女は13歳のとき、脱北することを決意して川を渡った』(満園真木訳、辰巳出版)の次のくだりを読んだ。

「北朝鮮人の頭のなかでは、つねにふたつのストーリーが進行している。並行する二本の線路を走る列車みたいに。ひとつは信じろと教えられたこと、もうひとつは自分の目で見たこと。韓国に来て、ジョージ・オーウェルの『一九八四年』の韓国語訳を読んではじめて、この状態をあらわす〝二重思考〟という言葉を知った。これは矛盾するふたつの考えを同時に持てて、頭が変にならない能力のことだ」。

パク・ヨンミはいわゆる「脱北者」、韓国で「北韓離脱住民」と呼ばれる人々の一人だ。一九九三年に朝鮮民主主義人民共和国の恵山(ヘサン)に生まれ、十三歳で中国に渡り、十五歳のときにモンゴル経由で韓国に入国した。韓国に来てから大変な努力をして東国(トングク)大学に入学、二〇一四年にアイルランドのダブリンで開かれたワンヤングワールド2014サミットで、脱北体験と北朝鮮における人権問題についてスピーチし、世界的に有名になった。

『生きるための選択』は英語で書かれた本だが、この中には二度オーウェルの名前が出てきて、パク・ヨンミにとって彼の作品がいかに重要な転機だったかがわかる。『動物農場』を読んだときは、「砂山のなかでダイヤモンドを見つけたみたい」な気持ちになり、「私がいた場所や経験したことをオーウェルは知っていたのではないか、そうとしか思えなかった」という。

これらの文章を書くに至るまでのパク・ヨンミの経験は、生半可なものではなかった。まず、言葉そのものを獲得しなくてはならなかった。「二重思考」が染みついていた彼女にとって、例えば「愛」という言葉で表される感情は指導者への敬愛の念だけで、家族、友達、夫や妻に対してその言葉が使われるのを見たことがなかったという。だが韓国に来て、愛という言葉が人間だけでなく自然や神、動物にまで使われることを知る。そうした時期を経て、基本的な感情や語彙を獲得していった。

九〇年代に大勢の人が餓死した「苦難の行軍」の時期を経験したパク・ヨンミは、恐ろしいものをたくさん見ている。行き倒れて死んだ上に犬にかじられた人の死体、食べ物がなく絶望している孤児院の子供たち、公開処刑のありさま。さらに、脱北する際には、母親が自分の身代わりになって人身売買ブローカーにレイプされるという過酷な状況まで体験したそうだ。その上、中国では、自分自身も人身売買の犠牲になった。

パク・ヨンミは韓国に入国してからすさまじい勢いでたくさんの本を読んだが、それは、このような忌まわしい記憶を封じ込めるためでもあったという。そして、読むにつれて自分自身が変わってゆく。「韓国には、私の知らなかったたくさんの語彙があり、世界を表現する言葉が増えれば、複雑なことを考える能力もより向上する」。「自分のなかに育つ言葉がなければ、本当の意味で成長したり学んだりすることはできない。そのことがわかってきて、自分の脳が文字どおり生き返るのを感じた」。

北朝鮮を『一九八四年』になぞらえるのは別に珍しいことではない。だが、このように、自力で「二重思考」の罠を取り払った人が言うとまた別の迫力があり、改めてオーウェルにピタッとピントが合うような、いや、今まではピントが合ってなかったのだと気づくような気持ちになった。思えば、『一九八四年』の読みたくなさは、ピントを合わせることの苦痛に起因していたのかもしれなかった。

そういえば、私の経験した現実の一九八四年は、『凍土の共和国——北朝鮮幻滅紀行』（金元祚(キムウォンヂョ)、亜紀書房）という、今も現役で読まれている本が出た年でもあった。在日コリアンの著者が、一九八二年に北朝鮮を訪問した際の記録で、一種の内部告発の書といってよい。金元祚はもちろんペンネームである。一九五九年に始まった在日コリアンの「帰国運動」の際、著者の家族も何人か「帰国」しており、二十年ぶりの家族再会とともに「地上の楽園」と宣伝された祖国の実像を確かめるための訪問だったと書かれている。

在日コリアンによる、実際の見聞を踏まえた内情暴露・批判の本が出たのは初めてで、たいへん勇気のあることだったが、当初、受け止める側にはかなりのとまどいがあったのではないかと思う。

『凍土の共和国』にも、「真理省」でのウィンストンの仕事を思い出させるくだりがある。著者は北朝鮮に着いて以来さまざまな衝撃を受けつづける。そんなとき、高校時代に帰国した親友「B君」にばったり出会い、緊張が解けたせいもあってか、彼に疑問をぶつける。

例えば北朝鮮政府が公表している食糧増産計画の数値の問題だ。金元祚もそれを額面通りに受けとっているわけではないが、それでもやはり、あのような数字が提示されていながらなぜ一般国民がこれほど窮乏しているのか理解できない。だがそう言うと、B君は「日本のようなのんべんだらりとした国で、インテリ特有の留保条件をつけながらも、この国の発表した公式声明や統計数字を信用するから、そういう考え方をするのだ」と批判する。そして、「ハッキリいうと、共和国人民は統計にあらわれた数字を食わされているだけだ」と言ってのける。そもそもが水増しである数字をもとに増産計画を立て、それにもとづく数字を計算し、提示しているだけなのだから、と。

著者もB君も高校時代、ドストエフスキーやゴーリキーを愛読していたという。B君がそのことに触れて、「しかしこれらの作品にも、おれたちが偽善のこの国にやってきて体験した極度の貧困、プライドを捨てて地獄のような悲惨ななかで生きた、ピエロのような人間の哀れは描かれていない」と語る場面があった。初めて読んだときから、この一節が胸に刺さって忘れられなかった。

そしてその後、北朝鮮の実態を暴く体験者の本、特に脱北者の本をいくら読んでも、このような記述は見られなかった。つまり、自分の経験を世界文学と照らして、自由について考察するような文章のことだ。もちろん、脱北者の手記のすべてを読んだわけでは決してないが、それなりの数は読んできた。でも、誰もが知っているような文学者や芸術家の名前が出てくることなどまずなくて、その中で非常に珍しい例が金元祚のロシア文学であり、次に出会ったのがパク・ヨンミのオーウェルだったのだ。

ここには、北朝鮮の長い文化政策の結果が表れていると見るべきではないかと思う。海外の文化が制限されてきたことももちろんだし、分断、戦争、粛清を経て、世界文学に親しむような層がほぼ根絶やしにされたのではないかということだ。

一九三〇年代に朝鮮文学は全盛期を迎えていた。それを支えた優れた書き手の多くが解放後、北朝鮮へ行ったのである。だが彼らは粛清されて作品を発表する機会を失うか、政府の認める範囲内での創作に甘んじるしかなかった。詩人の林和（イムファ）のように、スパイ容疑で処刑された人さえいた。そして、文学を享受する側の人々も、「B君」と同様、無傷ではいられなかっただろう。その中にはおそらく、未来の書き手となる可能性を秘めた人たちが大勢いたに違いない。結果として、文化を作る人と享受する人の両方が弾圧され、それが二代、三代と続けば、摘みとられた文化の芽は容易に蘇らないだろう。

パク・ヨンミといい、金元祚といい、この人たちが記録した北朝鮮社会はオーウェルの小説を上書きしているように見える。だが私たちだって、二重思考やニュースピークから全くの自由でありうるだろうか。上書き、後出しで言葉が作り替えられ、過去の事実が隠蔽（いんぺい）される、それは今の日本でも起きていることだ。条件が揃えば『一九八四年』的状況は作り出される。だから、ある社会や集団の自由が封殺されている状況を「北朝鮮みたい」と揶揄（やゆ）したりするようなことは、本当に無意味だと思う。

考えてみれば、私が長い間『一九八四年』を読むたびうんざりしてきたのは、そこに描かれているのが予想もつかない醜悪さではなく、いやというほど予想のつく醜悪さであり、それが濃縮されていたからではないだろうか。そして、「でも、うちは濃度が低いから大丈夫」と思っていられた時期は、終わりつつあるようだ。

韓国では、アメリカの肝煎りでオーウェルの『動物農場』が一九四八年に、英語以外の言語としては初めて出版されたし、『一九八四年』も日本より早く一九五〇年の三月に刊行された。これが反共の教科書として使われたことは言うまでもないだろう。

詩人で評論家の金起林が、「文化の運命」という文章で『一九八四年』に短く言及している。一〇四ページで紹介したように、金起林は朝鮮戦争開戦の直前、一九五〇年四月にカミュの『ペスト』論を展開していたが、「文化の運命」はその少し前に発表されたものだった。そこには「英国のジョージ・オーウェルが昨年発表した問題作『一九八四年』は独裁への辛辣な批判であったが、独裁は我々の人間性に反するものである」という端的な一文があった。「共産主義」でも「全体主義」でもなく「独裁への批判」という言葉が選ばれていることに、リベラリスト金起林のぎりぎりの意思表明を見る思いがする。

この「文化の運命」という文章には、「二十世紀後半期の展望」というサブタイトルがついていた。なるほど、一九五〇年とは二十世紀後半の最初の年だったのだなと、当たり前のことを改めて思い知らされる。

オーウェルが『一九八四年』に登場させた言語「ニュースピーク」は、まだ完成の途上にあるとされていた。そして、小説の最後に付された付録には、「ニュースピークが最終的にオールドスピーク(すなわちわれわれの言う標準英語)に取って代わるのは二〇五〇年ぐらいのことだと見込まれた」とある。二〇五〇年、それは朝鮮戦争開戦から百年目の年である。

元山(ウォンサン)中学の同級生——後藤明生(ごとうめいせい)と李浩哲(イホチョル)

後藤明生は耳の良い人だったと思う。それは、後藤自身が『夢かたり』の中で「私は朝鮮語の達者な中学一年生だった」と書いていることと重なる。植民地時代に聞いた朝鮮語を作品中に記した日本の文学者は何人もいるが、後藤明生のそれは、どこかずば抜けている。例えば、一九七九年に発表された『嘘のような日常』の、こんな箇所だ。

「パンマンモック、トンマンサンヌ、イリボンヌムドラー!・(飯を喰って、糞をたれるだけの、日本人野郎共!・)」

「ピガパンジャヤー、カラミョンガラー、ウリドゥルプルグンキヌシキンダー!・(卑怯者去らば去れ、われらは赤旗守る!・)」

これは、中学一年生だった後藤明生が一九四五年の敗戦直後に聞いた歌の歌詞である。後藤の生家は現在の北朝鮮に位置する咸鏡南道永興(ハムギョンナムドヨンフン)で大きな雑貨店を営んでおり、父は予備役の陸軍歩兵中尉でもあった。一家は八月十五日に家を明け渡して収容所に入るが、やがてそこも追われ、花山里（ファサルリ）という土地の朝鮮人の農家に身を寄せる。その家の男の子が小学校への登校時に大声で歌っていたのが、この歌だという。ちなみに、二番目の歌詞は朝鮮語版の「赤旗の歌」だ。

後藤のカタカナ朝鮮語には、耳で覚えたのだろうと推測される特徴がたくさんある。教科書で学んだ者が書き起こしたら、表記上の約束に引っぱられて決してこうはなるまいという箇所が随所にある。だからこそかえって、ぎょっとするほど生々しい。耳の良さとすさまじい記憶力が、約三十年を経てこの歌詞の再現を可能にしたのだろう。

四五年の十一月、後藤の父は農家の離れで胃潰瘍のため死亡した。後藤は地面を掘って父の亡骸（なきがら）を埋めたが、凍りついた土がつるはしを跳ね返した。その後祖母も失い、一家が日本に引き揚げたのは四六年五月のことだった。

ところで、後藤が敗戦まで通っていた元山中学には、後に韓国で有名な作家となる李浩哲がいた。一九四五年の春から夏の四か月間だけ、二人は同級生だった。後藤明生は「内向の世代」の代表であり、李は「分断文学」（朝鮮半島の分断状況を描いた文学）の巨匠と呼ばれている。元山中学が名門校だったことを考えに入れた上でも、すごいクラスがあったものだと思う。

後藤たちが引き揚げて五年目に朝鮮戦争が起き、そのとき高校三年生になっていた李は、動員されて北朝鮮の兵士として参戦する。当初はすぐに戻ってこられると思い、ズボンのポケットに岩波文庫を一冊入れて軽い気持ちで出かけたそうである。しかし韓国軍の捕虜となり南に定着、北にいる家族とは生き別れになった。このように、北に故郷を置いてきた人を韓国では「失郷（シリャン）

民(ミン)」と呼ぶ。

ロシア文学が好きだった李は、釜山(プサン)で肉体労働をしながら習作を書き、二十代前半で作家になった。一九六二年に発表した短編「擦り減る膚(はだ)」（邦訳は『現代韓国文学選集3』冬樹社、金素雲(キムソウン)訳その他）が文学賞を受賞し、李浩哲の名前を決定的にした。同じ年、日本では後藤明生が「関係」で本格的にデビューしている。

「擦り減る膚」はソウルのある裕福な一家を描いたもので、チェーホフの演劇のような趣を持つ。この家では長女が北へ嫁いだため音信不通のままであり、一方で、北から避難してきた青年が何となく居ついてしまっている。認知状態の怪しい老父は、毎晩十二時になると、北にいる長女が帰宅するという妄想にとらわれる。それを煽り立てるかのようにこの家では、「カーン カーン」という原因不明の金属音が断続的に鳴り響き、家族全員の神経を痛めつけているのだ。日常を侵食する狂気という形で南北分断を描き出した力作で、私の知る限りで四回も日本語に翻訳されているが、これは韓国文学の翻訳としてはめったにないことだ。

一九七二年、後藤と李は、李がペンクラブ大会への参加のために来日した際に再会している。しかしそれは、正確には「再会」とは言いづらかった。なぜなら李が後藤を克明に覚えていたのに対し、後藤には李の記憶が全くなかったからだ。このことを李は、自分の小説が翻訳掲載された『現代韓国文学選集』の月報に「或る邂逅(かいこう)」というエッセイとして書いた。そこには、昔の旧友の手応えのなさだけでなく、日本の作家たちの姿勢に物足りなさを感じていることが記されていた。

いわく、「帰するところ個人的なものだけがもっとも確かなものとして信じられ」、「言い換えれば日本文壇には問題意識というものがなく」と手厳しい。そして「後藤明生がわたしとの巡り合いを単なる個人的なものとして受け取ろうとするそのみがまえともそれは繋がるのである」と続く。

これに対して後藤が、同じ全集の次の巻の月報に「不思議な一夜」という返答を寄せた。そこでは「わたしは彼とともに過ごしたいかなる場面をも思い出すことが出来なかった」とした上で、日本文壇への批判的な感想について「それについてわたしはわたしなりに、意見がないではない」が、自分は「あくまでも元山中学校一年三組の同級生として逢ったつもりである」、「また彼は彼で、考えた通り、書きたい通りに書けばよい。実さい、遠慮は無用である」と書いた。全集の月報でこのような応酬が行われるのは前代未聞の事態だろう。

それによらず、この同級生同士にはなかなかエピソードが多かった。その後、李が国家保安法違反で逮捕され収監されたとき、二人の共通の友人である在日コリアンの作家李恢成(イ・フェソン)が「十年くらい食らうかもしれない」と伝えたところ、後藤が「十年ならいい、ドストエフスキーだって十年入っていたのだから」と答えて、李恢成が激怒したという話もある。実際には、十か月ほどで出られたのだが、十か月だって十分に長い。

この事件にまつわる李恢成と後藤明生との間のいきさつが、李の「邂逅はあるか」(『イムジン江をめざすとき』、角川書店)というエッセイに書かれている。いうまでもなく、後藤明生も李浩哲の身の上を案じているのだが、早く出してやる方法などをめぐって二人の間にはズレのようなものがあり、喧嘩別れ一歩手前の様相を呈したりもする。だが、「こと李浩哲の運命について考えるときにはこんな形で喧嘩別れしてはいけないと二人とも考えていたようなのだ」という一文があり、忘れられない。

さまざまな経緯(いきさつ)を共有した、不思議な同級生だった。そして私はずっと、この二人の重要な作家の作品にどこか似たものがあると感じてきた。

二人の小説ではしばしば、主人公が不意に呼び出されたり、または過去からいきなり人が訪ねてきたりする。それでなければ主人公が突然、子供時代の妙な思い出に襲われる。後藤の作品のうち、故郷の記憶を題材にしたいわゆる「永興もの」では、過去の知り合いが突然連絡してくるのが定番だし、それ以外にも「書かれない報告」の主人公は、突然、住んでいる団地の住み心地をレポートしろという指令を受けて驚くが、いつのまにかそれを当然のように引き受ける。

一方、一九六五年に書かれた李浩哲の短編「副市長は赴任地に行かない」(『朝鮮文学──紹介と研究』第九号所収、小倉尚訳)では、道徳の先生をしている男性が突然、当局に追われる身となる。理由はわからない。しかし彼はただちに逃亡生活に入り、やがて、自分が馬山(マサン)市の副市長に任命されていることを知る。その理由もまたわからないのだ。自宅では妻が副市長夫人らしく振る舞いはじめるが、本人にはまるでその気がなく、逃亡を続ける。ともあれ、適応であれ対抗であれ、不可解は不可解のままで人々はてきぱきと即応し、その背後にはずっと「反共を国是の第一とし」というラジオ放送の大音声が響き渡っている。笑いが吹き出す寸前のような不気味なおかしさが漂う小説だが、この不可解さの背景には、一九六一年の朴正熙（パクチョンヒ）による軍事クーデターがあるらしい。

代表作の一つである「大きな山」という短編もまた、不可解だ。雪の日、自宅の塀の上にゴム靴の片方が置いてあるところから話は始まる。その家の夫婦は怪しむが、徐々に、失郷民である夫の子供時代の記憶がよみがえっていく。記憶の大元（おおもと）には、故郷の村をとり囲んでいた馬息嶺（マシンニョン）の山々がある。その山は幼い頃の彼の世界を支えており、雨や雪によって山が見えなくなるとき、彼は強い不安と寂しさを感じたのである。そして、雨や雪が晴れるときは常に「いつの間にか」そうなっていたことを、彼は思い出す。

「いつの間にか」何かが決定されている。何かが突然終わり、突然始まる。その中で、「驚いてはいけない」と自分を戒めて必死に行動しようとする子供の緊張のようなものが、二人の小説には共通に漂っている。

二人が体験した世界の大転換と移動には、五年の開きがある。後藤は子供として、李は兵士としてそれに立ち会ったのであり、それぞれの立場は大いに異なる。そして、敗戦の年に中学一年生だった後藤の立場はやや入り組んでいる。一九四五年という年、後藤は陸軍幼年学校に進学したいという希望を持っていた。だが諸事情でその年は受験をあきらめたので、軍人見習いではなく、ただの子供として敗戦と植民地の解放に立ち会ったのだ。そのときの自分は「罪を犯すほどの知識も、罰を受ける資格も持たされていない一人の餓鬼」にすぎなかったと、後藤は回想する。もしも一年の差で幼年学校に入学していたら。そうだったら、敗戦後、大日本帝国陸軍に幻滅や嫌悪、憎悪を感じたり、ひいては批判することさえできたかもしれないとも後藤は書いた(これを読むと、朝鮮に生まれ育った年長の作家の小林勝や詩人の村松武司が引き揚げ後、自分の出自を否定し、共産党に入党していったことが思い出される)。けれどもそうはならなかった以上、自分は今なぜここにいるのかという、めまいのような、耳鳴りのようなものはそのまま抱えて生きていくと、後藤は決めていたのだろう。『夢かたり』『挟み撃ち』など、夢と現実がごちゃごちゃにからまり、その中で不意に呼び出しをくらうような「永輿もの」は、ここから吹き出してくる。

呼び出しの厳しさという点では、李の方がずっと過酷な目にあった。さらに李には長い間、検閲との戦いがあった。二人の違いは単純な差ではなかった。だが、それをも越えて、後藤と李の作品に重なるものを感じるのはなぜなのか。後藤の「行き帰り」のラストシーンには、動いているのか止まっているのかわからない大観覧車が出てくる。そのような、大きなものがぬっと天空から見守っている感覚が二人の小説には折々あって、それが共通に体験した風土のせいなのか、咸鏡南道の空や土のせいなのか、あるいは何の関連もないのか、知りたいと思いつづけている。

李が後藤に感じた物足りなさとは、後藤が植民地体験を個人レベルに閉じ込め、永遠の過去として扱っているのではという疑問だったようだ。しかし後藤は、朝鮮で武装解除される日本を目の当たりにして引き揚げてきた後、「敗戦国民の日本人同士が何故そんなに競争するのか、不思議だった。何の役にも立たずに生きてゆくには何になればよいだろうか」(『嘘のような日常』)と感じ、その違和感を抱いたまま、日本の戦後を観察しつづけていた。そこには「パンマンモック、トンマンサンヌ、イリボンヌムドラー!」という朝鮮語が響いている。

後藤は李浩哲の「擦り減る膚」を高く評価していた。後藤が没する一九九九年までに翻訳された李の小説は、長編一編、短編四編にすぎない。その後に訳された『南のひと北のひと』(姜尚求訳、新潮社)と『板門店』(姜尚求訳、作品社)という二冊の本を読むことができていたら、何と言っただろうか。また、六〇年代の膨張するソウルと、その中でサバイバルする故郷喪失者たちを描いた『ソウルは満員だ』(未邦訳)を読んでいたら、同時代の東京とどう比較しただろうか。

李浩哲が死んだのは二〇一六年のことである。九八年に平壌(ピョンヤン)を訪問し、生き別れになっていた妹と再会できたが、故郷への墓参りは実現しなかった。後藤明生もまた、自分の手で父親を埋めた花山里を訪れることなく一九九九年に死んだ。

長章吉（ちょうしょうきち）が描いた朝鮮語の風景

韓国・朝鮮に関する面白い本を一冊だけ、といわれたら、迷いなく『私の朝鮮語小辞典――ソウル遊学記』（長璋吉、河出文庫、二〇二四年に復刊予定）を挙げる。

日本における韓国・朝鮮文学研究の草分けである長璋吉のこのエッセイ集は、一九七〇年に『朝鮮文学――紹介と研究』（朝鮮文学の会発行）という同人雑誌に連載され、七三年に単行本になった後何度か版を変え、文庫にもなり、営々と読まれてきた。私の見る限り、八〇年代までに朝鮮語の勉強を始めた人のほとんどは読んでいると思う。九〇年代でもそうかもしれない。特に、韓国留学経験者は全員ではないだろうか。この一冊に触れて朝鮮語を学びはじめた人も少なくないそうだ。

タイトルに「小辞典」とあるように、このエッセイ集は辞書の体裁をとっている。第一章の「下宿生活篇」は、著者が延世（ヨンセ）大学に留学するため、一九六八年十一月にソウル金浦空港に降り立つところから始まる。最初の単語は「도착하다（トチャッカダ）（到着する）」。到着という漢字語に由来する点は

同じだが、「日本語から受ける語感よりも気楽なことばである」と説明されていて、初めて読んだとき、初学者の私にはたいそう役に立った。

続いて「무언(無言)」、「우리말」(「朝鮮人が朝鮮語を指していう場合の特殊な精神構造を含んだ語」と説明されていていてとても面白い)、「바가지 쓰다(ボラれる)」、「아이 추워(おお、寒う)」……と続き、タクシーの運転手にぼったくられたりしながら、ソウルのとある旅館に下宿人として落ち着くまでが描かれる。単語の選び方は無造作に見えるが、半世紀以上経った今も生き生きして、項目の一つ一つがそのまま短編小説のような味わいだ。

当時、韓国へ留学する人は非常に珍しかった。だから貴重な留学記ではあるのだが、学校のことはほとんど出てこない。「下宿と喫茶店と映画館と街路をほっつきまわるばかりで、学校にはめったに顔を出さず」と説明されていて、これは留学記のエクスキューズの定番かもしれないが、本書の場合はそれが効果を生んでいる。なぜなら、本当に「下宿と喫茶店と映画館と街路」の話がめっぽう面白いからだ。つまり市井の人の描写が、ということだ。

まず下宿のこと。管理人のおばさんが大家と下宿生の中間に立って、ときには自腹を切りながらみんなの生活を支えてくれる。朝鮮戦争で長男と生き別れになった過去を持つ彼女は、「진통(陣痛)説」というものを持っている。著者は、おばさんがそれを開陳するさまを「今の韓国の苦境もチントンだ。じっと我慢する。私たちの今の不便もチントンだ。今、耐えてこそ将来「박사도 되고 사장도 된다(博士にもなれ、社長にもなれる)」とおっしゃる」と書きとめている。日本か

ら来た留学生たちは、出世したらおばさんを日本に招待してビール風呂に、純金風呂に、また牛乳風呂に入れてあげると約束したそうだ。

陣痛という身体に直結した比喩も、博士、社長というストレートさも、ああ、六〇年代の韓国だなあと思う。著者は別の本で、「(韓国に行くと)人間の質の露天掘り現場にでも入りこんだ気分になれる」と書いているが、まさにこれだ。

人情ある下宿のおばさんと個性的な学生たちとの交流というのは、それ以降にたくさん出版された韓国留学記の基本でもある。下宿は一個の宇宙ステーションであって、留学生たちはそこから韓国という宇宙に飛び出すのだ。そもそも韓国という国が学生を大事にする上、自国の言語や文化を学びにきた留学生は特に篤(あつ)くもてなそうとするので、そんなことも関係しているのかもしれない。

次に、街で出会った人たちの話。著者がソウルのど真ん中の大通りを歩いていく。するといきなり、「やぁ、どうだい」と目の前に手が突き出される。とっさに握手をしてしまうが、どう見ても知らない男だ。いかにも親しげに、共通の知人だという人の名前が持ち出され、「そんなひとは知らないが……」と申し述べるものの、軽くいなされ、気がつけば喫茶店と飲み屋を四軒五軒とはしごして一緒に酔っ払い、何が何やらのクライマックスで「カネをおれによこしな」とすごまれる。そのときの長先生の反応がおかしい。

「いや、このときの気持を分解して平面にひきなおせば、まずはうれしくなって快哉(かいさい)を叫びたいくらいだった」。

つまり、今まで韓国の小説を読みながら、「こんな人いるんだろうか」と思いつづけてきたタイプそのものの人間が目前に現れたので、危険を顧みず嬉しくなってしまったということらしい。いわく、「虚勢ばかり張ったいやらしくて、しかも一途で、どこか笑いをさそうような男」。確かにこういう人は今も韓国の映画やドラマの中にたくさんいそうだし、私も韓国にいたとき、何人か見たような気がする。

結局、長先生が男に渡したのは日本円にして三千円ほどにすぎず、それっぽっちのためにすごんでみせる必要もなかろうにと思うけれども、ヘンな友好関係は三千円でつつがなく維持される。要は、わけのわからない顚末だが、やっぱり「人間の質の露天掘り」というしかなく、可笑(おか)しみと人懐かしさが色濃く残る。

この文章が一九七〇年に『朝鮮文学——紹介と研究』の創刊号に掲載されたころ、日本で出ている韓国・朝鮮関連書籍はまじめ一色で塗り尽くされていた。というか、同誌の顧問株であった元法政大学教授、尹學準(ユンハクジュン)の言葉を借りるなら「どれもこれも観念のみが先走っていて、「ファッショ独裁を糾弾する」ボルテージの高いものばかりだったから、私はいいかげんうんざりしていた」というありさまだった。だから『私の朝鮮語小辞典』は、本当に新鮮だったらしい。

私がこの本を読んだときはもう一九八〇年代の前半になっていたが、状況はあまり変わっていなかった。もしかしたら、全斗煥(チョンドファン)政権時代に入っていた当時の方が、飛び交う言葉はさらに生硬だったかもしれない。『世界』に連載中の韓国民主化運動のレポート「韓国からの通信」が教科書のような時代だったので、初めて古本屋で『私の朝鮮語小辞典』を手にしたとき、私は戸惑った。とてつもなく面白いのだが、どれくらい面白がっていいのかわからなかったのだ。えらく不自由な精神だったものだ。

　だが今だって、この可笑しみと人懐かしさが日本の活字の世界で十分に知られているかというと、そうでもない。韓国人の底抜けの面白さ（などと一言で言えないことはわかっているが）は、現在の韓国文学にもそれほどふんだんに表れているとは思えない。パク・ミンギュやイ・ギホの小説には確実にそれがあるけれども。

　そんな中で長璋吉は、子供のころから親しんだ落語の世界などをもとに軽妙な文体を作り上げ、硬直していない、生きた韓国人と韓国語の世界を書き上げてたいへん好評を得た。

　さらに『私の朝鮮語小辞典』には、朝鮮語を勉強しはじめた人をたまらない気持ちにさせるものがひたひたに入っている。傾けたらこぼれそうなくらいに。

「하늘（ハヌル）、나무（ナム）、공기（コンギ）」という項目がある。意味は「そら、木、空気」だ。そして「私は風景ばかりみてくらした。／この三つの単語の順列は私をいつどんな時でも興奮させることができる」と説明されている。この印象的な文章を、多くの朝鮮語学習者が憧れをもって読み続けてきた。

　不思議なことだが、確かに「ハヌル」「ナム」「コンギ」という順番で発音してみると、たちまち韓国の自然が脳内に召喚される。ここで具体的に描写されているのは、冬が間近に迫ったソウル延世大学の裏手に広がる山の風景だ。

「ここには、とらわれたことのない風景がある。身を固くした木がある。木肌は冷気に荒れ、ひび割れ、めくれあがっている」。

「そして、めくれあがった木肌はそのうしろ、掛け値ない青い空にきっちりとふちどられている」。

「ここではすべてのものの輪郭がはっきりしているのだ。一枚の葉は他の一枚の領域を侵さない。山の背は空の領域を侵さず、木は空気の領域を侵さず、空気は木の領域を侵さない。それでいて毅然とした一つの調和した風景だ」。

もう一度ハヌル、ナム、コンギと唱えてみる。「ハヌル(hanwl)」の末尾のlで舌先が歯の裏につくときの満足感。「ナム(namu)」と口をすぼめると一本の木のイメージが過不足なく胸に落ちる。「コンギ(kongi)」のŋからgiへ移っていくときの余韻。この三つの単語の連なりは、異質な言語を口にしてみたいという素朴な好奇心を越えて、何か見果てぬものへの願望に隣り合っている。あるところまではとても似ているのに、あるところからは決定的に違う風土にさらされたいという、やみくもな願望のようなもの。

もう一つの忘れられない文章を思い出す。植民地時代の朝鮮に生まれ、生涯、朝鮮とのかかわりをテーマとしてきた、つい先頃亡くなった森崎和江のものだ。

「それからまた、わたしは真冬の裸木が好きでした。朝鮮の冬は、かんと青空が痛く、ドアーの金具に手がふれるとびしびしと皮膚がくっつきました。そんな真冬にみどりは草一本ない原っぱで、裸木を眺めているとみぶるいがしてくる。樹木がどくどくと脈打っているんです。針のような枝先へまで。そこへ湧きあがっていく樹液の気配はわたしを息づまらせました。そして、それをとりまく空の緊張！

わたしは感動のあまり雪へうつふして泣きました（後略）」（『第三の性――はるかなるエロス』）。

二人が描いた風景に共通しているこの緊張感は、底抜けに面白く人懐かしく見える人々の心と、どこかでつながっているのかもしれない。長璋吉はそれを、音感を含めた言葉の全体でとらえることのできた、本当に稀有（けう）な研究者だった。一九八八年に四十代の若さで亡くなったが、その際多くの人が、その非常に鋭い言語感覚を惜しんだ。多数の優れた翻訳と文芸・文学史的エッセイを残したが、特に『私の朝鮮語小辞典』の果たした役割は大きかった。

ちなみに、朝鮮半島で話されている言語は一つであり、それが韓国語とも朝鮮語とも呼ばれている。学問の世界では、朝鮮半島で使われる言葉であるから朝鮮語と呼ぶのが一般的だ。『朝鮮文学――紹介と研究』の創刊号には、「なお、現在朝鮮は不当にも二つに分断されているが、わたしたちは、朝鮮は一つであり朝鮮文学もまた一つのもの――と理解していることを明確にしておきたい」という「朝鮮文学の会」メンバーによる一文があった。

この会の主要な三人が解放前の優れた短編小説を手分けして翻訳した『朝鮮短篇小説選』（大村益夫・長璋吉・三枝壽勝編訳、岩波文庫）が先ごろ、復刊された。次回はそのことを書いてみたい。

物語に吹く風　朝鮮短篇小説選

『朝鮮短篇小説選』(大村益夫・長璋吉・三枝壽勝編訳)上下巻二冊が岩波文庫に入ったのは、一九八四年のことだった。

この年にはＮＨＫの「アンニョンハシムニカ　ハングル講座」もスタートし、朝鮮半島の言語や文化への関心が少しずつ醸成されつつあった。

そのころの日本で、朝鮮半島、特に大韓民国への視線といえば、金大中(キムデジュン)の拉致事件や光州事件など物騒なことがよく起こる独裁国家というものが主流だった。一方には、日本男性が大挙して韓国へ買春ツアーに出かけるという現実もあった。今のように韓国の映画やドラマ、音楽、本が続々と入ってくる状況など、想像もできなかった。

だから、「ハングル講座」の登場は決して小さな変化ではなかった。公共放送のラジオやテレビで「ハングル」を教えていないころと、教えるようになったころとでは、確実に何かが違う。ちなみにその名称が「ハングル講座」となったのは、「朝鮮語」とするか「韓国語」とするかで暗礁に乗り上げたためとされている。「ハングル」はあくまで文字の呼称なので、「ハングル講座」が語学講座の名前として適当かというと大いに疑問があり、みんなそんなことは重々わかっていたが、これもまた南北分断という現実の前での選択だった。

ともあれ、そんな流れの中に『朝鮮短篇小説選』は登場した。ハングル講座と同じで、この二冊の文庫本の存在は、例えば私が「自分は朝鮮語を勉強しており、朝鮮半島の文学に関心がある」と誰かに説明する際にも役に立った。「最近、岩波文庫にこんなのが入ったんだよ」と言えば、それで納得する人がいるからだ。それまで岩波文庫に入っていたのは、金素雲(キムソウン)編訳の『朝鮮民謡選』『朝鮮童謡選』『朝鮮詩集』の三冊と、許南麒(ホナムギ)訳の『春香伝』だけで、戦前や戦後間もない時代に刊行されたものだった。

本書には、一九二〇年代から四〇年代まで、朝鮮半島が二つに分断される前に書かれた、十九人の作家による二十二篇が収録されている。表紙や各短篇の扉には、天秤棒で水を運ぶ男性や、長鼓(チャンゴ)をたたく妓生(キーセン)といった絵があしらわれ、朝鮮半島の習俗を紹介する、百科事典の挿画のような役割を果たしていた。また、著者一人ひとりの紹介のページには写真の他にユーモラスなイラストが入っているのだが、これが非常にそっくりで面白い。訳注もたいへん充実していて、これを読むだけでも歴史の勉強になるし、上巻巻末の解説には簡単な文学史も収められ、単なる小説集というのにとどまらない、非常に使いでのある二冊だった。

ところで、十九人の作家の中には、解放後や朝鮮戦争当時に、三十八度線を越えて南から北へ

〈大韓民国側から朝鮮民主主義人民共和国〈北朝鮮〉側へ〉行った人が七人も含まれる。さらに、解放前にソ連に行って作家活動を行っていた人も一人いる。これら八人の作品は、一九八四年にこの文庫が出た当時の韓国では発禁扱いだった。読めるようになったのは、韓国が民主化され、ソウルオリンピックが開かれた八八年以後のことだ。

そして、北へ行った作家七人のうち四人は後に粛清されたり消息不明になっており〈もう一人は朝鮮戦争に従軍して戦死〉、この人たちの作品も当然、北朝鮮で読むことができなかった。

このような複雑な事情を、本書の解説は「これだけの作品を一般の読者が手軽に読むなどということは、本国では南北いずれにおいても不可能であることを付け加えておく。日本の読者は、その点、ある程度の概観を簡単に得ることができることになるわけである」とさりげなく説明していた。だが当時の私はその意味が全くわからず、「南北ともに昔の小説にはあまり需要がないのかな」ぐらいにしか思っていなかった。すべてを察したのは、その後十年以上経ってからだ。文学史までが分断されてしまう朝鮮半島の現実を熟知していた人々、特に在日コリアンの読書家たちは、当時、どのような思いでこの一文を読んだだろうかと今になって思う。

私はそのころ大学を出て一年ほど経っており、いろいろなアルバイトをしながら、朝鮮語の勉強も細々と続けていた。朝鮮語には大学時代のサークルで出会い、三年ほど学んだが、専攻したわけでもなく、専門知識はなかったので、『朝鮮短篇小説選』はたいへんありがたい存在だった。「これをしっかり読めばいいのか」と、頼もしさを感じたのを覚えている。実際に読んでみて、ここに登場する人々の切実さ、あるいはのどかさがすぐに了解できたわけでは全然ない。むしろ不消化感を抱えて何度か読み返したのだが、そんな読み方でも残るものは残る。

アンソロジーというものは不思議なもので、それを読み通すことは一種の旅に似ているようだ。旅の途中で出会った、さまざまに違う人々の姿が一連のものとして記憶されるように、時代も設定も違うたくさんの物語が一かたまりとなって蓄積される。

そうやって一度脳に入れた小説の中の人たちと、長い時間が過ぎた後に再会することもある。去年、実際にそんな経験があった。世界じゅうで評判になった韓国ドラマ『イカゲーム』を見ていたら、最終回のタイトルが「運のいい日」というものだったのだ。これだけで「あっ」と思って了解できたのは『朝鮮短篇小説選』のおかげである。「運のよい日」というのは、解放前に四十代の若さで病死した作家・玄鎮健(ヒョンジンゴン)(一九〇〇―一九四三)の代表作のタイトルで、『朝鮮短篇小説選』の上巻にちゃんと入っている(三枝壽勝訳)。

「運のよい日」の主人公は人力車夫だ。その妻は病気で寝込んでいる。雨の降る日、家にいてくれと妻が必死に頼み込むのを振り切って主人公は仕事に出かける。その日は妙に運がよく、たいへん儲けたのだが、主人公はずっと「今日は行かないで。(中略)あたしがこんなに苦しんでるのに」という妻の声が気になって仕方ない。悪い予感を振り払いながら、もっと稼いで帰ろうと主人公は街をさまようが、予感はあたってしまう……というストーリーで、「運のよい」というのはもちろん反語だ。過酷なサバイバルゲームが展開されるドラマ『イカゲーム』の最終回もそれをなぞりつつ展開されるが、ラストにさらに仕掛けがある。とにかく「運のよい日」は国語の教科書の定番であり、基礎教養であり、韓国人視聴者なら誰でもこのタイトルでピンと来るはずだ。「蜘蛛の糸」とか「清兵衛と瓢簞（ひょうたん）」の類である。また、『82年生まれ、キム・ジヨン』（拙訳、筑摩書房）で有名になった作家チョ・ナムジュの短編集『彼女の名前は』（小山内園子・すんみ訳、筑摩書房）にも、「運のよい日」という掌篇が入っている。ある夫婦がマイホームを手に入れることができるかと浮き足立ったが、結局、そんなうまい話はないということがわかってがっかりするストーリーだ。

それにしても私は、「運のよい日」のことはあまり印象に残っていなかったのに、『イカゲーム』を見ていたら、この小説に漂う悲しさが記憶の下の方の層からどんどん湧いてきてびっくりした。ドラマを見終わって『朝鮮短篇小説選』を読み返したところ、主人公が飲み屋で食べる食べ物のメニューといったディテールまでよく覚えていて、さらに驚いた。そしてついでに、「五月の薫風」が無性に読みたくなった。

「運のよい日」はとても悲しい物語だが、朴泰遠（パクテウォン）（一九〇九―一九八六）の「五月の薫風」（長璋吉訳）は、本書の中でハッピーな物語の代表といえるだろう。

作者の朴泰遠は、ロイドめがねに藤田嗣治ばりのおかっぱ頭がトレードマークのモダンボーイだった。『パラサイト』で世界的にも有名になった監督ポン・ジュノの、母方のおじいさんでもある。「意識の流れ」の手法を取り入れたモダニズム作家として知られるが、本書の著者紹介には「市井の小さな出来事を暖かな筆致で描く」とあり、「五月の薫風」はまさにそれだ。

舞台は一九三〇年代のソウル。ある男性が五月の爽やかな日に、幼なじみの女の子に偶然再会する。主人公は小さいころその子と喧嘩して顔にけがをさせたため、ずっと申し訳ない気持ちを抱いていたのだが、路面電車で偶然見かけた彼女が確かに幸せそうだと感じたとき、「胸のなかに喜びがこみあげて」くる。その喜びを抱いたままで主人公は鍾路(チョンノ)の大通りを抜け、露地を歩いていく。本当に小さなひとこまなのだが、そのひとこまが小さければ小さいほど、ここに確かに人がいる、という実感が迫ってくるというのか。

私が「五月の薫風」を好きなのは、最後の方に「五月の芳(かぐわ)しい風は、その露地のなかにも満ちている」という一文があるためでもある。ここを読むたびに、先回も少し触れた長璋吉の言語感覚の鋭さを思い出すからだ。

長のエッセイ集『私の朝鮮語小辞典』には、次のような文章がある。

「広い道路をゼリー状の風が移動するのがみえる。書きながら胸がふるえる。全く変哲もない通りにすぎないのだが」。

「朝鮮語の冷やかさ」というエッセイで、著者はこうも書いている。

「私としては、朝鮮語をはなすときに感じる冷やかなものの性質はいったい何だろうか、ということについて、いつか語れるようになれたらと思っている。日本語はあまり近すぎる。反対に、中国語の feng、フランス語の vent、英語の wind などの音の群が、あの空気の移動を名づけているということを了解することはほとんど不可能だ。ただ力技によってかろうじて接触を保たせているにすぎない。ところで、朝鮮語のパラムはこの両者の間にあって、その音の群を、それが担う質量と艶とともに、疑似的にではあろうが、了解しうると感じる。パラムには例の空気の移動を「とらえている」という感覚がともなっている。／この感覚がなければ、私は朝鮮語を読もうとは思わないだろう」。

長々と引用してしまったが、途中で切れないのだから仕方がない。この鋭敏さで、朝鮮語と朝鮮半島の文学を、本当に風のようになぞっていかれた方だなあと、今読み直してもそう思う。

『朝鮮　言葉　人間』(河出書房新社)という、そのものずばりのようなタイトルの本がある。長璋吉の没後、さまざまな媒体に発表された文章を集め、また『朝鮮文学』の同人による追悼文なども併せて収録したものだ。そこに大村益夫が寄せた「弔文」(実際に葬儀で読まれたものだそうである)には、「長さんは引用と注をふんだんにつけた、がっちりとした学術論文スタイルはあまり得意としませんでした」とある。確かに、論文が石だとすれば、長先生の文章は、風なのである。その作家論や作品論は直感に富み、実証的な裏付づけを積み重ねるというよりは、無造作に、そして自然に流れて読む者の度肝を抜く。

例えば、李清俊(イチョンジュン)という、作品数も非常に多く、評価もいやが上にも高い、巨人のような作家がいるが、この人について「わかりすぎてあまり読みたい気の起きないのが、当時の韓国の小説だったとすれば、さっぱりわからないのでついつい次つぎ読むはめになってしまったのが李清俊の小説だった」と、さらっと書いている。長先生は李清俊の長編『書かれざる自叙伝』(これが「さっぱりわからない」の極致ではないかと思うが……)の翻訳も、手がけておられるのである。その上でのこの口吻（こうふん）は、暑苦しさ皆無、まさに風の批評眼だ。

ソウルの路地の風の話に戻ろう。「書きながら胸がふるえる」というその通りは、「サムソンビルと市庁の間を종로（チョンノ）(鍾路)の方へおちる小路」だと説明されている。そこは朴泰遠の「五月の薫風」で主人公が幸せを感じながら歩いていた、一九三三年の鍾路の露地でもあるのではないか。

朴泰遠は朝鮮戦争の際に北朝鮮へ行き、『朝鮮短篇小説選』が刊行された八四年にはまだ存命だった。北朝鮮の体制とは最も縁の遠そうな、モダンボーイだった朴泰遠が、プロレタリア作家たちが粛清された後も生き残り、歴史小説などを書いて作家人生をまっとうしたのだ。何と数奇なことだろう。物語の何気なさの外で、作家自身はこれほどの突風に翻弄されており、しかし「五月の薫風」は今も静かに吹きつづけているという不思議さ。

この不思議さはまた、長璋吉の周囲にも漂っているようだ。長璋吉は一九八八年に、非常に惜しまれながら亡くなったが、それから三十年後、建築家でもある個性的な作家、チョン・ジドンが、「光はどこからでも来る」という短編小説に長璋吉を登場させている。そこでは、『私の朝鮮語小辞典』にちらりと登場した大学生の女性が主人公となって、不思議な留学生「チョ・ショキチ」の面影を語るのだが、この二人をつないでいるのも、鍾路の露地から飛び出してくる「ゼリーのような、柔らかく冷たい風」なのだ。さらにこの女性は一九七〇年に開かれた大阪万博の韓国館のコンパニオンとして大阪に行き、そこで長璋吉と再会する。

「光はどこからでも来る」は、二〇一九年に韓国で出版された『私たちは他者の記憶によって生きるだろう』という短篇集に入っている。このタイトルを書きながら私もまた胸がふるえる。

堀田善衞と「ジョー」の肖像

堀田善衞という名前を聞くと、中国、スペイン、インド、キューバといった地名が思い浮かぶ。国際派作家といわれるだけのことはある。一方で、この人の小説に出てくるコリアンはめっぽう面白いと気づいてから、かなりになる。

作品をたくさん読み込んだわけではないのだが、自伝小説とされる『若き日の詩人たちの肖像』に、「ジョー」と呼ばれる朝鮮人学生が出てきて、この人の面白さにまいってしまったのが最初だった。

この小説には、作家自身とかなり似た境遇の主人公が、二・二六事件の年に東京の大学に入学してから、第二次世界大戦末期に召集令状を受け取るまでが描かれている。戦争の時代の文学青年群像だ。そこには戦後に有名な文学者となるあの人、この人がいろんな名前で出ていて、どれが誰だかほぼ明らかになっているのだが、「ジョー」については今まで、モデルがいるという情報を見た覚えがない。ご存知の方がいらしたら、ぜひ教えてください。*

小説の中のジョーは「朝鮮の大金持の坊ちゃん」で、「M大学のレスリングの選手をしている力持ち」とされている。だいたいにおいて薄曇りみたいなこの小説の中で、ジョーのいるところだけが妙に明るい。お金があり、力があり、その上、陽気で、「銀座や新宿の喫茶店ではちょっとしたギャング同様に顔がきき、女たちにもたいへんにもてた」という。

案の定、彼の部屋にはしょっちゅう女性が出入りしている。そして主人公に「コノヲンナ、カシタルカ」などと言ったりするので、最初読んだときは、何て奴だと思ったのだ。だが徐々に、この人が「朝鮮では貴族の筆頭にあたるような、たいそうな家柄の生れ」であり、彼の父が死んだときは朝鮮総督が列席したことがわかってくる。身分にふさわしくない安アパートに住み、レスリングと女の子に明け暮れている風だが、それは一種の偽装であるらしい。大酒も飲む一方で、観葉植物の万年青（おもと）の手入れに余念なく、たいてい機嫌がよく、機嫌のよいままで「朝鮮人はナ、どこにおってもナ、自由でないのや」と耳打ちしたりする。あげくのはてにいきなり「オレ、アメリカへ行クゾ」と告げて日本を離れてしまうという鮮やかさ。

そのときもジョーはやることが粋だ。彼には、喫茶店に勤める「お龍さん」という馴染みの女の子がいるのだが、出国にあたって彼女に「お龍さま、お礼、徐」と書いた封筒に金を入れて渡す（ここで初めて、彼の名前が「徐」であることがわかる）。それは五円札だけで三百円の札束で、貧しい身なりのお龍さんが高額紙幣を使ったら怪しまれるだろうからという心遣いなのである。

「徐」は朝鮮語で読めば「ソ」だが、本人は「ジョーとアメリカ人風に呼ばれることを好んだ」

と書かれている。

アメリカに行く直前には「クナイショウ」、つまり宮内省（現・宮内庁）へ行き、「親戚筋にあたる、朝鮮出身の皇族に、渡航許可その他の面倒の斡旋を依頼」し、お龍さんと主人公に山王ホテルで豪華な食事をおごる。そして、何でアメリカに行くのだと尋ねる主人公にこう返す。「まず学校へもういっぺん行って、それからな、アメリカでナ、チョセントクリツウントウやる。アメリカと日本ナ、いまに戦争になるゾ。君、死ぬなよナ、戦争て……アハハハ」。

それが一九三七年のことだ。アメリカへ渡り「ナッシュヴィルという、南部にほど近い妙なところの大学に落ち着い」てからも、ジョーはお龍さんを気遣ってお金を送ってくる。情の篤い、良い奴なのである。これほどディテールが書き込まれていると、絶対、ほんとにこういう人がいたに違いないと思えてならない。特に、彼の話す日本語には朝鮮語話者特有の発音の癖がよく再現されていて生々しいので、なおさらだ。

ちなみに、朝鮮独立運動のビッグネームに、ジョーさんと同じ姓の徐載弼という人がいるが、彼も主にアメリカで活動していた。一八九七年にソウルに建てられた「独立門」という有名な建築物は、徐載弼がフランスの凱旋門を参考に考案したものだという。もし、このことを念頭に置いて堀田善衞が「徐」という姓を贈ったのなら、なかなかにすごいことだと思うのだが。

しかし、モデルがどうであるにせよ、ここから感じられるのは、朝鮮独立運動というものの国際的な奥行きを堀田善衞がよく認識していたことだ。実際、それは中国、ソ連、アメリカなどで粘り強く展開され、実にさまざまな人物が関わったのである。それは同時に、朝鮮半島内部では弾圧が強すぎて、外へ出ていくしかなかったという意味でもあるのだが。

もう一人印象的なのが、『橋上幻像』に収められた短編、「名を削る青年」に出てくる米軍兵士だ。ベトナム戦争への加担を拒否して米軍から脱走した人で、本人によれば、幼いときに朝鮮戦争で両親をなくし、国際養子となってアメリカに行き、そこで兵士になったという。

この人物にはかなり明確なモデルがいる。一九六七年、東京での休暇中に脱走した米軍兵士で、ケネス・チャールズ・グリッグスおよび金鎮洙（キムジンス）という二つの名を持つ。紆余曲折を経て六八年に、他の脱走兵らとともにストックホルムに脱出することができた。

ここには、当時展開されていた脱走兵支援運動がかかわっている。さまざまな人種の米兵が日本で脱走の意思を表明し、彼らを匿い（かくま）、場合によっては第三国へ出国させるための市民運動が自然発生的に生まれた。表に立ってマスコミ対応などをしたのは小田実（おだまこと）、鶴見俊輔、鈴木道彦、小中陽太郎ら、「ベトナムに和平を！市民連合」（通称「ベ平連」）の人々だったが、ベ平連に指揮されていたわけでもなく、非常に広汎な人々がこの活動に携わっていた。皆が秘密を守って行動したため、その全貌はなかなか把握されにくかったが、一九八九年に刊行された本『となりに脱走兵がいた時代――ジャテック、ある市民運動の記録』（関谷滋・坂元良江編、思想の科学社）などによって、やっとその様子が明らかになってきた。

このとき何人もの文学者が隠れ家として自宅を提供したが、堀田善衞もその一人だった。盗聴の可能性もある中、一人の人間の生活をサポートするのだから、実際には家族の負担の方が大きい。逗子の自宅や蓼科の山荘に四人を匿ったが、うち一人がこのコリアンの青年だった。

短編「名を削る青年」は、脱走兵と、彼を匿う主人公の対話が中心となっている。彼は登場のときから特異である。小説の中での彼の名前は「ウィリアム・ジョージ・マクガヴァーン」として彼は「パク・チョン・スー」とされているが、案内者がその二つの名前を紹介したとき、両方に対し「ウッ」というような呻き（うめ）に近い音を発する。それを見て主人公は、「要するにこの若者は自身の名について、何か具合のわるい思いを抱いているらしい」と感じる。

彼にとってはこの二つの名前の両方が、自分にそぐわないのだ。自分はアメリカ市民でいたくない。しかしコリアンに戻りたいのでもない。いま自分は脱走兵と呼ばれているが、「そのずっと以前のところで、ぼくは国というものがいやなのだ」と彼は言う。

主人公から見ると、それは「（人間から）余計な部分である国家人の部分を削り取り、こそぎ落そうと」する試みだ。果たして人間にとって、国と無関係な名前は存在しうるのか？ この、おそろしく本質的な悩みにいつのまにか自分もすっかり巻き込まれ、動揺する。「わぁーッ」と叫びたくなってくる。

この、身一つで本質に迫ってしまい、他者をも引きずりこむような性急さは、彼の別の行動にも表れている。気晴らしを兼ねて枯れ木を切る作業をやらせると、おそろしいスピードで取り組み、鋸（のこぎり）を折ってしまうといったように。そして彼は本を読む。知識で武装しようとするのだ。

「なんにも知らないで、よく平気だな。ぼくはなんでも研究する。キムチは嫌いだけど、どうして作るかは研究した」などと言う。また、地球温暖化(一九六〇年代の日本で、その知識を持つ人はほとんどいなかっただろう)について語り、「地球表面の温度が上って来て、北極と南極の氷が溶け出して、どこもかしこも水浸しになる」と教える。もっとも彼のそれは、そのようにして世界が滅ぶことを自分は望む、という文脈なのだが。

それほど絶望が深いのに、同時に、身の振り方はしっかり見据えているところもあるのを主人公は見抜く。そして、去っていく彼に「ジンギス汗という名はどうだ、燃やしも殺しも壊しもしないジンギス汗」と提案し、青年もそれを喜ぶという結末になっている。

『若き日の詩人たちの肖像』のジョーと「名を削る青年」のジンギス汗は、時代も立場も全く違う。だが二人とも、少し先の未来を言い当てて日本人をたじろがせるところは同じだ。一人はアメリカとの戦争を、もう一人は人類の終わりの始まり方を告げた後、独特の濃い影を曳(ひ)いて物語の中を通り過ぎる。一刀彫の鮮やかな人間像だ。そしてその存在感は否応なく、国境といわれるものを越えるのだ。

堀田善衞は一九六八年の末に、モスクワで開かれたアジア・アフリカ(AA)作家会議のシンポジウムに出席した帰りにストックホルムに寄り、金鎮洙に会っている。どうしているか、気になったのだろう。それは、『若き日の詩人たちの肖像』の連載が終わり単行本が出て間もないころだ。「ジンギス汗」を匿っていた時期は、『若き日〜』の連載時期、つまり堀田善衞の中に「ジョー」の面影が生きていた時期とも重なる。

思えば、堀田の芥川賞受賞作だった『広場の孤独』は、朝鮮戦争が日本のインテリに与えた衝撃を描いていたが、そこに朝鮮半島の人間は出てこなかった。そこから十五年以上経って、一九六八年から七〇年という世界の若者たちが激しく動いた時期に、二人のコリアンの印象的な像がこうして重なることは面白い。

現実の金鎮洙はその後日本や韓国を訪れたという証言があるが、現在の動向はわかっておらず、ジョーの朝鮮独立運動がどうなったのかは想像のしようもない。ただ小説という不思議な空間の中で、二人のコリアンがじっとこちらを見ているのを感じるだけだ。一人はアメリカへ行き、一人はアメリカから来る。そして二人とも、大股で日本を通り過ぎてゆく。

＊　その後、丸山珪一先生のご教示で、「ジョー」という人物の一部は、明治大学に一九三九年から四二年まで在学していたレスリング選手の黄柄寛（ファンビョングァン）（一九一九—一九五二）をモデルにしているのではないかということがわかった。黄柄寛は平壌の富裕な地主の息子で、解放後は一九四八年のロンドンオリンピック出場の経歴もある。朝鮮戦争の際、避難先の釜山で縄張り争いに巻き込まれて拳銃で撃たれて死亡した。アメリカに留学して独立運動に邁進する「ジョー」は、おそらく黄柄寛をはじめ複数の人物の面影と想像のミックスなのだろう。

「やさしみ」のやりとり——田辺聖子のOL小説

「やさしみ」という言葉はやさしい。

「やさしみ」の「み」は、最近、「わかりみが深い」といった言い方をするときの「わかりみ」などとはちょっと種類が違っていて、昔からこういう言い方はあった。少し古い語法なのではないかと思う。

私は、やさしさは別に欲しくないが、「やさしみ」はいいと思う。そばにあってほしいとも思う。なぜかというと、田辺聖子の小説で知った言葉だから。

「やさしみ」は、『愛の幻滅』(講談社文庫/単行本刊行は一九七八年)で知った。

このお話の主人公は眉子といって、大阪の会社に勤めている二十八歳の女の人だ。二十八歳というのは、この本が出たころの女性会社員としては年長の部類に属する。眉子には、ずっと机を並べて働いてきた同年代の同僚、みちるというのがいるが、彼女が社内結婚することになり、眉子も結婚式に出る。式が進み、みちるがお色直しをして、眉子のテーブルに挨拶にやってくる。

みちるは「綺麗やねえ、あんた」と眉子の振袖をほめ、「着物、よく似合うわよ」と声をかけてくれる。そこからの描写は次の通りだ。

「私は、みちるの人のいいやさしみに触れる喜びを、いまさらのように感じさせられた。しかしそれはもう、どこかへ落としてしまったような、精のないよろこびであった。彼女のやさしみや人のよさは、これからミイちゃん(みちるの結婚相手=筆者注)が独占するものだろうからである」。

机を並べて伝票をさばきながら、周りには聞こえないように丁々発止のおしゃべりを楽しんできた二人だ。眉子にとってみちるは「笑い友達」で、「笑い友達」とは、「何となくスカッとしていて、しめっぽくならない子」「グチらしくしゃべっていても、どこか一拍おいてみているから、「ほんまに、かなわんで……」と客観批評するゆとりがある、そういう子」だと、眉子は定義している。こんな同僚がいなくなったら寂しいだろうし、会社に行く意味がグッと減ってしまうだろう。

私は田辺聖子の小説をずっと読んだことがなかった。知ってはいたけど、どこか軽く見ていたのだと思う。四十代になってやっとその面白さを知り、大きな山を崩すようにして、どしどし読んだ。作品数が膨大だから、全部が面白かったわけではないが、何冊かがとても好きになり、ごしごし読んで、本がぼろぼろになった。それはなぜか、『愛の幻滅』をはじめ、一九七〇年代の、そのころの言い方で言うなら「O L(オフィス・レディ)」が主人公の小説ばかりだった。

その何がいいかというと、まず、主人公がいいやつばかりだ。会社という場所にいて、別に偉くもないがダメでもなく、人間のなかみが面白い。喜怒哀楽が全部面白い。

例えば、『夜あけのさよなら』(新潮文庫／単行本刊行は一九七四年)の主人公、レイ子という人がいい。やはり大阪で働いているOLさんだ。彼女が、嬉しいことがあったときに「赤いショルダーバッグを、クサリ鎌のようにぶんぶん振り廻しながら」歩いていくという描写がある。こんなところを読むとおかしくて、この人にいいことがいっぱいあってほしいと思うし、この人が勤めてる会社がほんとにあったらいいと思うし、どうせ入社するならそこがいいと思う。それは、この人のいる場所、いられる場所なら大丈夫じゃないかという、安心感のようなものだ。

そして彼女たちには必ず、漫才の相方みたいな同僚がいる。このレイ子にも、美知子という仲よしがいるのだが、やはり美知子が結婚することになる。これもまた社内結婚で、当時は社内結婚したら女が辞めるものと決まっている。一人残されるレイ子は、以前、美知子と一緒に行ったことのある須磨の海にもう一度来て、「こんな景色を見て一緒に感動する美知子がいないのが淋し」いと思う。

さらに時代が遡り、『窓を開けますか?』(新潮文庫／単行本刊行は一九七二年)というのも好きだ。主人公の亜希子は神戸でお勤めの三十二歳だから、さらに古株のOLということになる。本人は年齢のことなど気にしていなくて、「歳月はベルトコンベアーみたいに私のそばを流れるが、私は気に入ったときだけ、その歳月をえらびとり、美しいスカーフか、手袋のように身につけたりはずしたりする」と考えているのだが、もちろん周囲の人たちはそんなに粋ではない。

亜希子の同僚は奈美子といって、同い年で、そしてかなり太っている。亜希子と奈美子は二人ともお互いについて、一言言ってやりたいと思っているようだが、机を並べてきた時間の分だけお互いの美点がわかってもいるという感じ。奈美子が太っていることに関する亜希子の評はこうだ。

「要するに、太ってる、ということは、その人のスキを見せることだ。そうして、いまのせち辛い、いやらしい世の中で、スキを見せてる人は、とてもいい奴なんだ。心のやさしい、不平不足を食欲でしか満たせない気弱な平和な人間なのだ」。

私が田辺聖子の七〇年代ＯＬ小説を好きな理由はこのあたりにもあって、彼女たちが「考える女子」だからである。

普通の女子は、考える女子なのだ。

なぜなら、女子こそ考えずには生きていけないからだ。田辺聖子はそういう意味のことを書きつづけた作家だと思う。そして、考えつづけるためには、友が要る。もっといえば同僚が要る。

ここに挙げた小説は三冊とも、主なテーマは恋愛と結婚だ。『愛の幻滅』の眉子と『窓を開けますか?』の亜希子は家庭持ちの男と恋愛しており、『夜あけのさよなら』のレイ子は、自分のことを好きなんだかどうなんだか煮え切らない、貧乏な学生さんに惚れ込んでいる。その上三人とも、本命以外にも気になる人がいる。田辺聖子のことだから、男女の機微のそのあたりへの洞察と描写はいうまでもなく抜群で、しょっちゅう「ほおお」と思うような箴言(しんげん)が出てくる。

だが、読み倒した結果、私はそこの部分はしゃぶりつくして消化してしまい、女と女の同僚関係の方に目が行くようになった。つまり、これらの恋愛ドラマは常に、同僚の横で着々と進行していて、同僚の側から見てもそうだという点が面白いのだ。お互い、すべてを打ち明けあっているわけではないが、彼女たちは毎月曜日、週末のデートの報告(出し惜しみしながら)をすることから始まり、同僚の目に照らしながら自分の今と、未来について考えている。優劣を比べたりするわけではない。知らず知らずのうちに、お互いの考えの伴走者になっているみたいなのだ。その経過を経て、眉子は、みちるの「やさしみ」を大事に思うようになっている。

友だちと同僚のどこが違うかというと、やはり会った場所が場所だということ。職場は広い世間へのとば口(くち)だ。ここで会った人との対話は社会と切り結ぶことだし、ここで話の通じる人に出会えたら、社会と話が通じたということになる。

職場はあくまで金(カネ)と評価のからむ現場だ。食べていくためにたまたまそこへ飛び込んだらうまの合う人がいた、というのは決して小さな幸運ではない。そんな確率で幸運が手に入ったのなら、これからもこの世でやっていけそうではないか。

それは会社員に限らなくて、アルバイトでも、一日限りの派遣でも同じだろうと思う。仕事の場所で会った人との「やさしみ」のやりとりは、世界へのささやかな信頼をもたらすのではないだろうか。

でも今回、三冊の小説を読み返してみて面白かったのは、登場人物が毎日、会社に行くくせに、そこが何をする会社だかさっぱりわからないことだ。眉子もレイ子も亜希子もかなり有能だというのだが、仕事内容をうかがい知れるのは「伝票」という言葉だけである。それは女だけではなくて、男の社員も同じだ。営業だ、会議だ、接待だと忙しそうだが、じゃあ何を作ったり売ったりしているのかは、登場人物全員が口を拭(ぬぐ)っているので謎。確かなのは女性たちが熱心にさばいている伝票だけだ。もしかしておせいさんは、女と男がいて伝票があれば会社でしょ、と思ってたんじゃないだろうか。

でも、それはあながち間違いではないのかもしれない。当時の女性会社員の多くは、どんな企業でどんな仕事をしているのかなんてあまり気にもされていなくて、十把一からげに「おつとめ」という会社の「ＯＬ」という職種についているのも同然だった。男性営業マンのサポートが主たる業務なのだから、女と男の間には常に伝票がある。

そして、彼女たちのワークライフバランスは決して悪くない。そのことは、今の若い人たちの生活とくらべてみるとちょっと悲しくなるほどだ。残業がないから、会社帰りに同僚と買い物に行って小さなアクセサリーを買ったり、習い事をしたりする余裕がある。生活の楽しみを削っていないし、ノルマの押しつけもない。何より、時間があるから、じっくりものを考えることもできたのではないだろうか。

でもそれはあくまで結婚までの期間限定で、そこを過ぎてベテランになった女の人には、揶揄(やゆ)と敬遠が待ち伏せする獣道(けものみち)がある。だから田辺聖子の小説に出てくる本物の「古参ＯＬ」たちは、凄みのある知恵を備えている。お給料はそう上がらないはずなのに、一人暮らしを支えるどころか親の面倒まで見ている。彼女たちは凛々しく、そうした先輩から眉子やレイ子や亜希子たちが学ぶのは、働き方という小さな枠に収まるものではない。何を軸にして生きるのか、何をあきらめて何を手に入れるかという知恵だ。「やさしみ」はそんな、大げさにいえば荒波の中でやりとりされるものだからこそ、貴重だったのだと思う。

三人の主人公は、結婚していく同僚を間近に見ながら、それぞれの恋愛に大いに悩み、そして決断を下していく。三人とも、世の中の決まりごとを「ふしぎだ」と思ってしまう口で、ちょっとした変わり者である。そんな彼女たちが変わり者のままで、同僚と「やさしみ」をやりとりする眺めは心強い。

そのころに比べて女性の働き方は大きく変わった。女性だけではない。働き方のすべてがくらくらするほど変化したのだ。でも、田辺聖子が教えてくれたのは、世の中に片隅なんてないということだった。どこで働いていようと、仕事場はこの世のすべてを体現している。そこで出会う人々が、小さな「やさしみ」の交換なしでやっていけるだろうか。ほんの一瞬でも、一度だけすれ違う間柄であっても、それは今も必ずやりとりされていて、ぎりぎりのところに手を添えてお互いの生存を支えていると、私は思っている。田辺聖子が一生かけて描いてきたのは、そうした小さな友愛の貴重さだったと思っている。

森村桂（もりむらかつら）という作家がいた

流行作家という言葉が好きだ。社会の勢いみたいなものを感じるからかもしれない。そして、私がリアルタイムで読んだ流行作家の筆頭は、森村桂という人だ。

初めて読んだのは中学生のころで、一九七〇年代前半だ。『違っているかしら』という文庫本を買った。これは今思えば元祖・就活小説である。もちろんそのころに就活などという言葉は存在しないのだが、そう呼んでも全然おかしくない。

大学（学習院とはっきり書いてある）の国文科に通う、ほぼ著者本人と見ていい女性が出版社を目指して大奮闘し、二つの会社で働き、二つとも辞めるまで、約二年間にわたる実体験をもとにしたお話だ。タイトルが示唆するように、社会に出ていくときに感じる、「？・？・？」という気持ちが自然体の一人称で書かれ、中学生にもするする、ぴゅーっと読めた。

ほんとに屈託のない主人公で、大学の就職課へ行って顔見知りの職員に「だからさ、試験のないとこない？ 試験があると、ヤッカイのもとよ」なんて言ったり、就活で知り合った他大学の女子学生に「がんばっちゃってよね、私、必ずどっかいいとこ入るからさ。また会おうよ」なんてエールを送ったりする。天然で、正義感がある。

森村桂には、フランス領ニューカレドニア島に滞在した体験を書いた『天国にいちばん近い島』という大ベストセラーがあり、かつて原田知世主演で映画にもなったので、知っている人もいるかもしれない。だが私は、それよりも地味な『違っているかしら』の方が好きだった。仕事を見つけることと、仕事をすること。その両方の大変さが追体験でき、身近にはいないお姉さんたちの世界をのぞいた気がしたのだと思う。作家や作品への予備知識が皆無だったのに書店で見かけてふらっと買ったのは、やはり森村桂が流行作家だったからだろう。七〇年代はこの人の全盛期で、「森村桂文庫」という個人レーベルの文庫シリーズまであり、書店で出会う率がとても高かった。

この本が一九六五年に単行本として出版されたときには、「女子学生の体験」というサブタイトルがついていたそうだ。つまり、女子大生の就活は知られざる世界だったのだと思われる。そもそも女子大生がうんと少なかった上、当時は、同じ女子大生でも「女子大学の学生」や「短大生」でなければ「女子」にあらずで、共学四年制の女子は敬遠されて求人はごくわずか。しかも国文科ときては、なおさらダメ。

国文科の女子には受験資格も与えない出版社に対して、森村桂は怒る。「どれも女子お断りとは何事ぞ、本は女も読むのだ。その出版社が女子はいれないと知れば、国文の女子が、本を買ったかね。タイプ、速記のできる女子だけオーケーして。冗談じゃない、こんなことは、入ってから習える。なにも大事な学生生活、就職のために、タイプだ速記だと、ガリガリやってたなんてのに、ロクな女の子はいない」。

中学生の読者としては、大人のお姉さんがまじめに怒って書いてるのにこういう文体だということが、とても面白かった。こうした語調は今では普通だが、一九七〇年代前半には十分新鮮だったし、六五年ならもっとそうだろう。ずっと後、椎名誠のエッセイが「昭和軽薄体」として有名になったとき、「それ、森村桂のことでしょ」と思ったのを覚えている。

さらに中学生が驚いたのは、とても有能な人が別の場ではまるで役に立たないことがあるんだという事実だった。

森村桂は最初、女性誌の編集部に今でいうインターンのような身分で入り、どしどし企画を出し、ガンガン記事を書いて大活躍していた。でも三か月の試用期間が過ぎると「君は、取材記者になった方がいいね」、つまり契約社員になりなさいというわけ。「正社員にしちゃうと不景気の時、サッとやめさせられないからよ」と先輩はさらりと言い、がっかりした森村桂はそこを辞め、苦労の末に次の会社に入る。ところが、あんなに大活躍していた人が、そこでは箸にも棒にもかからなかったというのだ。

その、次の会社というのが暮しの手帖社だ。いうまでもなく花森安治(はなもりやすじ)編集長の全盛時代で、雑誌の志は高いし売れ行きも絶好調だった(本の中では「婦人文化社」、編集長は大西という名前になっている)。森村桂にとっても憧れの会社だった。だが、ここに入社してからは、仕事の中身以前に、器を割ったり道具を壊したりで「コワシ屋」とあだ名がつくほどだったという。

花森安治も社長の大橋鎭子(おおはししずこ)も頭を抱える。でも、素直な明るさ、自然な優しさ、一生懸命さという森村桂の長所は無視できず、それは社長や編集長になるには必要な美点だと考えて正規採用に踏み切ったというから偉い。「(わが社では)その場ふさぎには決して人をいれません」「ちゃんと男女平等なんですし、結婚するからやめるとかそういう人でなく、一生つとめてくれる人でなくては困る」と大橋鎭子が言うシーンがあって、一九六二年のことだと思うとグッとくる。

で、森村桂も感激して、この人たちについていこうと思うが、それでも苦境はあまり変わらない。クライマックスは、家庭用の接着テープ(いわゆるセロハンテープ)の話だ。

『暮しの手帖』が家電や日用品を比較する商品テストを実施していたことは有名だが、森村桂の在籍中にセロハンテープのテストが行われたことがある。テスト法の一つが、五センチ四方の厚いボール紙六枚をテープで貼り合わせて箱を作ることだった。そして、森村桂の結果だけが、他のメンバーのと正反対だったのだそうだ。

他のメンバーは、ボール紙どうしを直角に組み合わせてからテープを貼っていく。だが森村桂は、まず四枚を平らに並べてぴっちり貼り合わせた後、テープを外側にして折り曲げて箱を作った。だから、他の人たちが接着力が強くて良いと高く評価したテープほど、箱を折り曲げるときにパチンとはじけてはがれてしまい、みんながダメと言った接着力の弱いものほどよく滑って箱の形をキープするから良いという結果になる。ちなみに、私はこの商品テストが載った『暮しの手帖』第七十一号（一九六三年刊）を持っている。そこには森村桂が貼り合わせたのではないかと思われる立方体の写真も掲載されていて、「テープが浮いてこわれかかった紙箱」というキャプションまでついており、しみじみと眺めてしまう。

これには花森安治もびっくりしたらしい。そして言うには、「目盛りじたいがちがうのだ」。つまり、人それぞれに物差しを持っているが、君のは規格外すぎる、ということだろう。そして花森編集長は、森村桂を呼んで諭す。会社で働く以上、人と物差しを揃えなくてはならないが、君はそれには相当苦労するだろう。一方、自分の物差しで押し通す生き方もあるが、それは会社勤めじゃ実現できないし、それはそれでつらいことが多いだろう。とにかく、どっちかに決めない限り君は一生宙ぶらりんだ、どっちが幸せか自分で考えて決めなさいと。

結局、森村桂は後者を選び、『違っているかしら』『天国にいちばん近い島』を書いて流行作家となった。まさに一世を風靡したというにふさわしかった。

私もこの二冊を楽しんで読んだが、以後はあまり読んでいない。森村桂の作品について誰かと話した覚えもない。十代で通過して、その後あまり振り返ることもなかった。

長い長い時間が経って、『違っているかしら』を急に思い出したのは、『82年生まれ、キム・ジヨン』が話題になったときだった。この本は韓国フェミニズム文学の代表選手といわれるが、主人公キム・ジヨンの悔しさや悲しさを読むうちに、自分の体験を思い出して泣いてしまったという読者がとても多かった。だが、そこにはかなり世代差があるようで、五十代、六十代女性が泣いた話はほぼ聞かない。「そういえば私も、そもそもどんなことでもあんまり泣きやしないなあ」と自分を振り返っているうちに、『違っているかしら』の一場面がふと思い浮かんだのだ。

それは、最初の会社で、森村桂が学習院出身だとわかると、先輩たちが妙な探りを入れてくるという場面だった。あなたってお金持ちなの？　どうなの？　という嫌な感じの視線である。そして彼女の家にはお金がなかった。父は豊田三郎という純文学の作家で、妻の強い希望で娘を学習院に入学させたのだが、ちょうどそのころ小説の注文がぱたっと減ったため、家計は大変だったらしい。その父も何年か前に亡くなったので、娘はどうしても働かなくてはならなかったのだ。

このシーンが、中学生の私には非常に響いた。そのときの気持ちが「これで、私が、キーッとなって泣いて、えええええ、どうせ、私は貧乏よ、私の友だちはうどん屋よ、といえば、少女小説になるかも知れんが、ドッコイ、そんなことでいちいち、大事な涙を出してたまるか」とある。

振り返ると六〇―七〇年代、女は泣くもんだと思われているからこそ意地でも泣いちゃいけないという気分が、世の中にはけっこうあったと思う。そして森村桂の「ドッコイ、そんなことで」というあたりが私の無意識に強く働きかけ、泣くことに関する基本スタンスを決定したのではないかと思う。でも、そのことは五十年近く忘れていた。こんなに直接的に森村桂を吸収したのに、そのこと自体を覚えていないなんて。でも、時代と本当に一体化していた作家とは、そういう存在なのかもしれない。

あっけらかんとした印象が強い森村桂だが、実は子供のころからずいぶん嫌な思いもしたし、晩年にはとても苦しんだ人だったと、今回、森村桂に関するいろいろな本を読んで知った。そういえば『違っているかしら』もするする、ぴゅーっと読めるけれど、ときどきピシッと止まる一瞬がある。切実さや悲しさが吹き出す瞬間がある。この作家はそういう面を多分に持っていたのだ。それでもなお、自分の体験を惜しみなく読み手に分け与え、それが自分の喜びでもあり、それ以外に手札がないというタイプの書き手だったのだろう。彼女の初期の作品の中で、男性社会や企業社会、それから噂好きのしみったれた世間への啖呵(たんか)はいつも冴(さ)えていた。

『違っているかしら』はNHKの朝ドラにもなったし、吉永小百合主演で映画化されたこともある。映画のタイトルは『私、違っているかしら』だった。でも原題の方が絶対いい。主語がないからこそみんな、「違っているかしら」という一言に、自分の中のさまざまな疑問と重なるものを感じたのだろうし、中学生の私でさえそうだったのだから。

この本は、今も私たちの読書の一角を確実に支えている「働く女子」の実感エッセイの源流に、位置しているのかもしれない。それが知らず知らずのうちに日本のフェミニズムの裾野(すその)を支えてきたということも、あったように思う。

そして私はまだ森村さんに教わった通り、「ドッコイ、そんなことで」泣いたりはしないのだ。もっと悔しがったり、怒ってケンカしなくてはならないことが、この先に待っていると思うので。違っているかしら。

マダム・マサコの洋裁店

食に関するエッセイはたくさんあるが、衣のエッセイはぐっと数が減るようだ。着るものの好みは、ルッキズムにも、経済力や文化資本の有無などにも直接つながっているから、無邪気に語るのが難しい時代なのかもしれない。それよりも、食べるものは多くの人がまだ自分で作っているが、服を自分で作る人はうんと少ないことが理由かもしれない。

だからなのか、自分の手で布や服を作る人の本は面白い。例えば、一九五〇年代から六〇年代にかけてマダム・マサコという人が書いていた短いコラム。どれも、見事なまでに実用記事なのだが、洋裁をしない私が読んでも面白い。マダム・マサコは戦後の有名なデザイナーの一人で、また日本のファッションの世界を文章の芸でぐっと押し広げた人、といっていいと思う。

この人についてはわかっていることが少ない。マダム・マサコというのはもちろんペンネームで、西亀正子という本名も伝わっているが、西亀は別れた夫の姓だそうだ。一九一六年、大阪の堀江生まれ。本の紹介文には「大阪の伝統的訓育を受けて育ち、仏人教師に仏文学、洋裁などを学んだ」とあり、由緒正しいお嬢様かつモダンガールという感じ。『細雪』の四女の妙子みたいだ。実際、妙子は人形作りをしながらデザイナーを目指して洋裁学院に通っているという設定だったし、そこの院長は田中千代がモデルだといわれている。

戦後、夫婦で銀座並木通りに洋裁店を出していたが、その後離婚して自分一人の店「マダム・マサコ」を持ったらしい。文章家としては雑誌『装苑』『それいゆ』などに寄稿し、その批評眼も、独特の文体も高く評価されたようである。一九五二年から二年ほどパリに滞在し、アカデミー・ジュリアンという美術学校で学びながら、ファッション・ジャーナリストとして記事を書いた。クリスチャン・ディオールなどにもインタビューしている。『モード案内』(五〇年、五二年)、『実用とシック』『おしゃれ案内』(いずれも五六年)、『きこなし読本』(六一年)などの本で評判になった。どれも、服を作るにも選ぶにも役立つ本だ。

このころは、日本女性が目覚ましい勢いで洋装に着替えつつあり、洋裁学校ブームの只中だった。田中千代や杉野芳子といったデザイナーは洋裁学校を設立して君臨し、一世代後の森英恵や芦田淳は自分の名前をつけたプレタポルテの会社を興した。だがマダム・マサコは、どちらの競争にも入っていかなかった。本の装丁やイラストなども手がけつつ、身軽な仕事の仕方を楽しんでいたように見える。

マダム・マサコのポリシーは、『実用とシック』という本のタイトルが代弁している。つまり、はっきりとした実用上の理由があるデザインはシックなんだということ。だから、本で取り上げるのも高級オートクチュールではなくふだんに着るもの中心で、ジーンズもアロハも出てくる。それから、真冬のうんと寒いとき、コートの裏に自分で薄手ウールの生地を縫いつける知恵などなど。こういうのは、洋裁学校では教えない。

　コート裏を防寒する方法は、「よく、ふとんの上へ、子供さん用のなんか、シーツがまくれないようにとじつけてあって、せんたくのときまで保(も)てばいい、つまり、はずすときにも楽にはずせるといった、あんなつけ方でいいんです」という。弾みのある、ちょっとおきゃんな文章だ。そして「ヨーロッパの北寄りになると、女の人や子供はもちろん、男でも、ひとりものは糸と針で、自分でぬいつけています。そして、春先になると、自分で鋏(はさみ)ではずしています」と続く。その生地が赤のタータンチェックだったりすると、裾からちらちら見える色彩がすばらしいと、伝統柄の良さも教えてくれる。

　マダム・マサコがくり返し言ったもう一つのポイントは、「シック」は日本語の「粋」と変わらないんだ、ということだった。「日本人は洋服のことを知らなくてダメだから、私が教えてあげる」というのではなく、和服のことを例に挙げながら、「ここから類推すればわかるんじゃないでしょうか」——と導いてくれるので、嫌味がない。

　浴衣の柄も西洋の洋服生地の柄も、長く残るものはどこか似ている。一九五六年刊の『おしゃれ案内』には「そうして十年、二十年とたったとき、残っていたのは、あんがい昔からある格子(こうし)とか水玉(みずたま)とか棒じま(ストライプ)だったなんていうことになるような気もします」と書いてある。六十年も経った今、私はユニクロに行くたび、マダム・マサコの言った通りになってるじゃないかと思う。

初めてこの人の本を読んだときに印象的だったのは、ファッション観の根底に、地理・歴史や自然科学があることだった。暑さ寒さと湿気、風雨と雪への対抗という、人間が衣類を身につける根本のところがしっかり押さえてある。だから、素材の話、繊維の話が多い。

例えば、最上級の男性用シャツはイタリア産の絹で仕立てるという部分に、「イタリアも日本ににていて、海の中に出ている細長い国で、まん中に火山脈があって、桑の木のようなものも出来るし、おかいこの親類みたいのがあって、ヨーロッパでは昔から、絹の上ものが、ご自慢のお国柄らしいのです」なんて書いてある。自分のいる場所を大きく見て、すっきり語っている。

私がいちばん好きなのは、「女の腕一本ではじめる洋裁店」という短いエッセイだ。

洋裁で独り立ちしたい女の人に向けて書かれているのだが、その対象がきわめて具体的だ。いわく、「お父さんはそんなにお金持じゃないし、いいパトロンもなく、どこか洋裁店に四、五年もつとめて、節約して、やっと、すこし余裕ができて、ほんとの女の腕一本で、お店をしてみたいという方のためです」。

そして、たたみ二畳ぐらいの狭いお店をどう運営していくかという方法論が、とても具体的に、親切丁寧に書いてある。まず、入り口は明るいガラス戸にするのだが、そのガラスも大きな一枚ガラスでなく、格子の入っている小さいガラスにするのがよい。これなら、ガラスが割れても小さいのを一枚、二枚修理すればいいだけだから、安くつくというのだ。

ミシンは窓のそばに置き、主人はいつも通りの方に向かってミシンを踏んでいるという眺めにする。「なんでも、ひとが仕事を一心にしているところは、他人の気をつい引くようになるものだといいますが」というわけだ。そして、ミシンをかけている頭の上へ、ブラウスでもスカートでも、自慢の作品を外からよく見えるようにハンガーでつるしておく。そこへ、大きな文字で価格を書いておく。値段の文字が小さいと近寄って見なくてはならないが、それは照れくさかったりするからだ。さらに、つるしておくのは一着か二着にとどめるというアドバイスが続く。「たった一間間口の店ですけど、一つだけ出ているというのは、ブラウスを百枚つっているところより、そのブラウスが特別のように目だってみえるのはあたりまえです」というのだ。

そんな味わいの洋裁店を知っている。一九八〇年代に東京の中央線沿いの町にあった、本当に狭い、半地下のようなお店で、お姉さんのような店主が一人でミシンを踏んでいた。そこには、いわゆる「一点もの」の服が、数を抑えてつるしてあって、それがとてもよかった。何着か買って大事に着ていたが、着ているとよくほめられたし、生地がよいのでとても長持ちしたことを覚えている。狭いお店なので、お姉さんがときどき道へ出て体操なんかしていて、その風情もよかった。時代が全然違うので、マダム・マサコの影響を受けていたとは思えないが、ディスプレイの仕方ひとつとっても、精神には共通のものがあったと思う。

マダム・マサコの本では、ほかにも様々な工夫が続くのだが、特に面白かったのが、よい「ほどきやさん」を見つけておきましょうというアドバイスだった。

つまり、店を始めて最初のうちは仕立てだけでなくお直し、つまりリメイクも請け負うとよいという話なのだが、リメイクといっても、このころのは小手先ではなく、裏返しや染め直しが基本だ。裏返しというのは、服が日焼けして色が褪（あ）せてしまっても、生地の裏は大丈夫なことが多いので、すっかり解体し、すべてのパーツを裏に返して仕立て直すこと。

こういう相談は、大きな洋裁店には持ちかけにくいので、こういったオーダーにこまめに応じるようにすれば、お客さんも増える。だから小さな洋裁店を出す人は腕のいい「ほどきやさん」、つまり縫い目をほどいて、きれいにパーツに分けてくれる内職の人を確保しないといけない。この作業は意外と難しく、「和服は仕立が手ぬいだけだし、どこも、だいたい直線だちばかりだから単純ですが、洋服を、そんな知識でやられたら、小さい芯がなくなったり、ボタンホールがあとで変（へん）にひろがったり」するからだ。つまり、ものの成り立ちを知らなければ、適切に壊すことができない。

ルイザ・メイ・オルコットの小説『昔気質の一少女』（吉田勝江訳、角川文庫）に、裏返しや染め直しの話が出てくる。主人公のポリーが、いとこのファニーに春の洋服についてアドバイスする場面だ。ファニーは何不自由ない暮らしをしているお嬢さんだったが、父が事業に失敗して、急に貧乏になってしまう。春になったのに着るものがないと嘆くファニーに、ポリーは、色褪せたドレスの裏側を示してみせて、ちゃんと生地の光沢が生きているから、裏返して飾りを減らせば素晴らしいドレスになると教える。

それでも、「私生まれてからまだ裏返しなんて着たことがないわ、ねえ、人にわかるかしら?」と心配するファニーに、鋏で縫い目をほどきながらポリーが言う言葉がいい。

「私なんかいつも裏返しだの染め直しばかり着ているわ、それでもお友だちが離れていきもしないしからだをわるくもしないわ」。

この場面でポリーは、生地がよくて無駄な飾りのないのが良い服だと強調するのだが、それはマダム・マサコのポリシーでもある。まあ、こんなのは世界どこでも共通だろうけれど。

マダム・マサコの文章を読んでいると、戦後の輝きみたいなものを感じることがある。少女時代から『ヴォーグ』を愛読していたこの人は、太平洋戦争の期間には二十代後半だった。どんな気持ちでもんぺ時代を過ごしていたのだろうと思っていると、「原子バクダンの時、わたしも広島にいたのですが、白黒の太いしまをきていた人が、ちょうど、そのしまのとおりに、黒いとこだけやけどをしているのをみました」などとさらっと書いてあって、どきっとする。

『洋裁文化と日本のファッション』(青弓社)の著者である井上雅人は、「自らの手で作り上げる「自由だとか平等」として、洋裁があったと考えてもいいのではないだろうか」と書いている。マダム・マサコのエッセイに感じる潑剌(はつらつ)とした感じも、大きく見ればそこに通じるのかもしれない。

今回読み直してちょっと驚いたのは、大勢の観客を集めて音楽とともにモデルを歩かせる興行のようなファッションショーは日本独特のもので、フランスにそういう習慣はないと書かれていたこと。その代わり、あるパリの若い女性が洋裁店を開く際、お客十二、三人を招いて催した小さなショーの思い出が紹介され、「もし、このわたしのまずしい一文が、何々県何々市のささやかな洋裁店で、「こじんまり（ママ）としたファッション・ショー」の、たとえ一つでも二つでも生まれてくるような、きっかけにでもなってくれたら、どんなに、たのしいことだろうと思ったりしています」と添えられていた。日本の各地で、これを実践した人もいたのではないだろうか。

マダム・マサコの寄稿が確認できるのは一九六八年ごろまでで、その後のことはわからない。ミニスカートが登場し、既製服が充実し、自分で服を作る人がぐっと減っていく時期である。ちょうど仮縫いしながらの会話のような、無駄なく、親しく呼びかける文章で、洋裁をする一人一人を励ましていたマダム・マサコ。みんなが服を作った時代は遠くなってしまったが、本の中でその声はまだ親しく響いている。

編み物に向く読書

私は編み物が好きなのだが、編むときは必ず、同時に本を読んでいる。編み物の本を参照しながら編むのではない。小説やエッセイを読みながら編み物をするという意味だ。

私にとってこれはごく普通のことで、音楽を流しながら本を読んだり、映画のＤＶＤをちらちら見ながら書類を書いたりもやしのひげ根を取ったり、そういうのと別に変わらない。だが他の人から見ると、異様で仕方がないらしい。私がそれをしているところを目撃した友人によれば、広げた本と編み物の間を目がチラチラチラチラ動き、ページをめくる手つきがあわただしく、全体としてきわめて落ち着きのない印象だそうである。

私にしてみれば、目をつぶっていてもできる編み方しかやらないので、手を動かしながら目で活字を追っても別に支障がない。そうやって両者をいっぺんにやると「快感×快感」という相乗効果の状態になり、いっぺんにやるからこそ意味がある。何も読まずに編むなんてつまらなくて、それならいっそ編まない方がいいと思う。

編みながら読む本は決まっている。バックグラウンドミュージックに倣って言うなら、バックグラウンドブックというのか、バックグラウンドテキストというのか。どっちも今イチなので、ここでは「編み本」と呼んでおくが、私の「編み本」は厳選された三十冊ほどだ。この二十年くらいで多少の入れ替わりはあったが、あまり増えすぎないように管理している。

最も活用したのは、文句なしに谷崎潤一郎の『細雪』だと思う。この文庫本全三巻とともに、セーター三十枚ぐらい編んだのではないだろうか。続いて金井美恵子の『恋愛太平記』と『噂の娘』、森茉莉の『贅沢貧乏』と『貧乏サヴァラン』、武田百合子の『富士日記』などが控えており、田辺聖子の『苺をつぶしながら』、林芙美子の『放浪記』なども入る。『赤毛のアン』や『あしながおじさん』も入る。何度読んでも好きな本ばかりだが、「編み本」の第一条件は、「食」と「衣」に関する惚れ惚れするような描写があることだ。

例えば「悦子の好きな蝦の巻揚げ、鳩の卵のスープ、幸子の好きな鶩の皮を焼いたのを味噌や葱と一緒に餅の皮に包んで食べる料理、等々を盛った錫の食器を囲みながら、ひとしきりキリレンコ一家の噂がはずんだ」(『細雪』)とか、「あんなに何ヵ月も前から大騒ぎして、クリーム色の薄手ウールでローウエストの切りかえがあって、ベルトの飾りとロール・ネックのボウ結びが白いサテンで、プリーツ・スカートのワンピース作ったり、同じ色のフェルトのトーク帽のグログランのリボンが黒だったのを、バッグと靴にあわせて茶色に変えたり、クリーム色のキットの手袋がほしいんだけど、それは女学生にしては贅沢がすぎるか、なんて言ったり……」(『噂の娘』)といった描写。

抜き書きすると過剰なようだが、編んでいるときにこういう箇所に遭遇すると、そのつど脳が舌なめずりするのを感じる。登場するアイテムの一つ一つが魅力的に感じられるのは、文章全体がよほど入念に練られているからだろう。

何度となく読んだ本を、何度となく編んだ編み方で糸と針をあやつりながら読む。いわば既知の情報を撚(よ)り合わせているだけで、新しさは一つもない。だが、見知った魅力的な単語をつるつる追っていく喜びは、手触りのよい毛糸で編まれた編み地を触る嬉しさと似て、一種の嗜癖(しへき)に近い快感だ。だから何度くり返しても飽きないし、この快感から滲(にじ)み出る何かが潤滑油となって、編み物がはかどるのだと思われる。

「編み本」には物語性のあるものがよく、小説でなくとも、著者の日常の物語が見えるエッセイや日記が多い。食と服飾の描写が良いことは必須条件だが、それがただ並んでいるだけではいけない。

例えば、先に挙げた『噂の娘』の引用は、戦前、ある女学生(おしゃれな美容院の娘さんだ)が京都の映画撮影所に知り合いを訪ねていく際、洋服を準備するという場面である。だがその行為は後に、本人を退学に追い込んでしまう。しかもこのエピソードは、事情があって美容院に預けられた女の子が聞かされる昔話という設定になっており、さらにその子が大人になってこの話を思い返すという場面もある。生地やデザインのディテールは、何重にも入れ子になった記憶の中で夢幻のように登場するのだ。そこには、平坦（へいたん）な日常の上にわずかに浮き出た刺繡の表面をなぞるような、独特の陰影がある。この陰影が大事なのだ。

　できれば、こうした刺繡の痕跡のようなものをまさぐりつつ編みたいのだが、それには波瀾万丈の物語は向かない。例えば、『風とともに去りぬ』にはとても有名な、カーテンでドレスを作るシーンがあったりはするが、編み物にはＮＧだ。

　編める物語か編めない物語かの区別は、かなり明確だ。日本近現代文学でいうなら、漱石の場合『吾輩は猫である』はＯＫ、『三四郎』は何とか編めるが『それから』以後は無理。鷗外は一切だめ。島崎藤村芥川龍之介志賀直哉川端康成宮沢賢治全部だめ。プロレタリア文学、いわゆる戦後文学一切だめ。人物が不幸すぎても幸福すぎてもいけないらしい。

　中勘助の『銀の匙（さじ）』は、最初の方は編めるが、主人公が成長していくとだんだん編めなくなる。太宰治がときどき編める。北杜夫の『楡家（にれけ）の人びと』の、三女の「桃子」が主人公の章なんかも編める。あとは竜胆寺雄（りゅうたんじゆう）の『放浪時代・アパアトの女たちと僕と』ぐらい。結果として、私の「編み本」コレクションは圧倒的に女性の書いた本が多い。じゃあ女が料理や裁縫のことを書いてればいいのかというとそんなことはまるでなく、林芙美子で編めるのは『放浪記』だけだったし、野上弥生子（のがみやえこ）や佐多稲子の小説には実際に編み物のことが出てくるのだが、「編み本」にはならなかった。そういえば、いかにも編めそうなディテール満載であるにもかかわらず、向田邦子もＮＧだった。

不思議なのは『源氏物語』で、与謝野源氏・谷崎源氏・円地源氏が軒並みNGだったのに、田辺聖子訳だけは編めたことだ。田辺聖子訳の源氏物語だと、贈り物にする衣の選び方などの描写がぐっと生き生きと感じられて、どんどん編めるのである。陳腐で気が引けるのだが、いわゆる「寄物陳思」、つまり「ものによせておもいをのぶる」というシステムが整っていると「編み本」になりやすいらしい。抒情性は絶対欲しいが、感情移入が過ぎるとてきめんに嫌で、一種の「人でなし」な感じが漂っていないといけない。しみじみしすぎはだめなのだが、乾きすぎてもいけない。

このようなうるさい注文に応えて残った「編み本」群は盤石のラインナップで、存分に使い倒してすっかり傷んでしまった。強く開いて固定するので、本全体が歪む(ゆが)のだ。本というより編み物道具に近く、編み物を持って外出するときにはそれ用の袋に突っ込むのでさらに傷み、そうなればなるほど変な愛着が湧く。これらの本については「摂取した」という言葉がぴったりで、もうすっかり身体に取り込んでしまった気がする。「摂取」といってもこの場合は、栄養というより嗜好品(しこう)、もっといえば麻薬に近い。

だが、こうなるとわからなくなってくるのは、いったい編むことと読むことのどっちがメインなのかという問題だ。結果が形になるのは編み物の方だが、では本が添え物かというと絶対に違う。私は編みながら読んでいるのか、読みながら編んでいるのか。

『細雪』には次のような、「ながら族」の出現を予言したような一節がある。

「そして暫くしましたら、紅茶を入れて、——ついでに、赤ちゃんに上げる牛乳の中へパンをどろどろに溶かしたものを、沸かして持って来られまして、どうも有難うございました、さあどうぞお茶を一つ、云いながら、椅子に掛けたと思ったら、途端にこう、腕時計を見て、あ、これからショパンが始まりますわ、奥さんもお聴きになりません？　云われて、ラジオのスイッチを開けて、一方では音楽を聴きながら、一方ではその間も手を休めずに、牛乳を匙で掬っては赤ちゃんに飲ませておられますの。——そんな工合に、始終時間を無駄にせんように段取りをつけて、お客様の相手と、ラジオ音楽の享楽と、赤ちゃんの食事と、三つを一遍に済ますなんて、実に頭のよく働く機敏な遣り方だと思いまして、………」。

ここだけでも無茶苦茶に編めそうだけれども、要するに人間は「ながら」の領域を拡張するに任せて生きてきたらしいということがぼんやりわかる。

読みながら編んだ偉大な先達として、橋本治氏がいる。『男の編み物　橋本治の手トリ足トリ』（河出書房新社）などで、本を読みながら編み物をするとはっきり書いていた。『そして、みんなバカになった』（河出新書）によれば、そのきっかけは卒業論文を書いたときで、専門書を読む必要があったが、「なんかしながらじゃなくちゃ」読めないと思って、セーターを編みながら読んだのだそうだ。それによれば当時、「本だけ読むということはほとんどして」なかったというから驚く。

となると、橋本さんは、新情報を身体に入れるために編み物を使い、私は逆に既知情報を愛でてるために編み物を使ったことになる。橋本さんは私なんかとは違って、何色もの糸を使った精緻な編み込みを編んでおられたので、脳の処理能力という面ではまるで比較にならないが、一つだけ共通かもしれないのは、身体を使った読書のパワーということだ。

すっかり習慣化した編み手にとって編み棒は手の延長で、身体の一部にすぎない。そして、身体を使うことが読書に拍車をかけているのは間違いないだろう。これは、乗り物に揺られているときに読書に集中できることとも通じるのではないだろうか。

私の「編み本」の基本は、日常の中でとぎれることのない物語のさざなみにあるようだ。女の人たちが食べ物や着るもののことを延々と話しており、そこに多少のあこがれや華やぎ、そして不穏さが混じる。この波を何度でも再現し、永遠に固定するために編み物の反復性が動員されたと考えると、私はどうやら、読みながら編むのではなく、編みながら読んでいるらしい。

ついでに言うと、電子書籍は「編み本」にならない。何度か試してみたがだめだった。やはり、紙のテクスチャーがそこには必要らしかった。

三人の女性の「敗戦日記」

人さまの日記を読むのが好きだ。特に、高見順の『敗戦日記』とエーリヒ・ケストナーの『終戦日記』と清沢洌（きよさわきよし）の『暗黒日記』が好きで、これらの三冊はいつも手の届くところにおいてあり、「今日、この人たちは何をしてたのかな」とめくってみたりする。多くは一九四五年の一年間を追体験するのだが、何度読んでもディテールは忘れるので、読むたびにぎょっとして冷や汗が出るような感じになる。

こちらは敗戦へ向けてカウントダウンしながら読んでいるが、本の中の書き手はまだそれを知らないので、申し訳ないような気持ちになる。特に清沢洌は四五年五月に亡くなってしまうので、なおさらだ。

だが去年、ふと、そういえば女性の「敗戦日記」を読んだ覚えがないなあと思った。戦時中の女性の多くは衣食のことを担当するのに必死で、日記どころではなかったのだろうか。ノートを広げていられる時間などなさそうに思える。でも探してみるといくつか女性の敗戦日記もあって、そこには男性の日記にはない面白さがあった。例えば、野上弥生子の日記(『野上弥生子全集』第Ⅱ期第九巻、岩波書店)だ。

戦争末期、六十歳だった野上弥生子は北軽井沢の山荘に疎開して過ごしていた。この作家は一九二三年から八五年までほぼ毎日日記をつけていたそうだが、戦争中のものも大変充実しており、戦争批判も忌憚ない。例えば五月七日の日記には、「こんな家事的なゴタ〳〵した数日のあひだに、ヨーロッパはすつかり別な姿になつた」として、ムッソリーニの最期やヒトラーの死について書かれている。この段階ではまだ「戦死」という伝えられ方だったようで、「ヒットラーは、自分に偶然にあたつた弾丸に感謝すべきであらう」と添えてあった。日常と戦況がシームレスに一行に収まっている。

当時すでに六十歳だったのに、畑仕事や炊事もこなし、息子たちが家族でやってくれば孫も含めた大所帯の世話をやき、そのかたわらで読書も続ける体力と精神力に感服してしまう。だが、それよりも私が目を見張ったのは、食べものが豊富なことだった。甘いもの好きな夫のために作る揚げまんじゅう、お汁粉、郷里の大分県臼杵に伝わる茶台寿司などなど、料理名だけ見ていると戦時の感じが薄い。五月二十八日にも、「茶だい寿し」というのをこしらえているが、「父さんが一本もつて来てくれた筍を水に浸して保存してあつたのを使ひ、その他は玉子、シヒタケ、芹、ニンジンの他に土筆まで甘酢にしてつけて見た。れいにより美しくかげんよく出来てみんなを悦ばした」というので、こんなのは今のわたしが読んでも食べたくなってしまう。茶台寿司とは臼杵の郷土料理で、野菜をふんだんにあしらった握り寿司らしい。このときのものは魚介を使っていないようだが、どうなのだろう。

一九四五年四月三十日には、臼杵の実家（フンドーキン醬油という大企業）から、味噌や醬油、塩などがどっさり送られてきている。野菜は自分でも作るし、近所からも何かとお裾分けがある。米も豊富らしく、白米をたくさん炊いた後は、傷まないうちに焼きおにぎりやお弁当にして人にあげたり。五月六日の日記にはそれについて「しかし白米の御飯をもてやまして（ママ）、他人に食べて貰ふといふ事は、今はよそでは出来ないゼイタクさであらう」などと書いてある。当時の食糧事情を考えれば、「あるところにはあるものだ」と言われてしまうだろう。

同じころ、後に有名な家事評論家となる吉沢久子は東京の会社に勤めていたが、会社の宴会のために同僚と二人で二十人分の食事を用意していた。五月五日のことである。献立はトンカツ、ニシンと塩鮭の焼き魚、うどの酢味噌、ふきの煮つけ、きんぴらごぼう、田芹のゴマ和え、野菜の残りと鮭の頭とカマを入れた粕入りの味噌汁で、トンカツはパン粉がなかったので、小麦粉と多めの卵で天ぷらの衣のようなものを作って揚げたとか。「たべる頃には、もうくたびれて眠くなったが、こんなに数多いごちそうをたべないわけにはいかないじゃないのと、いっしょうけんめい作ったものを味わった」と書いてあり、こちらもちょっと贅沢（ぜいたく）に見える。

当時吉沢久子は二十七歳。このとき住んでいた阿佐ヶ谷の家は、後に夫となる評論家、古谷綱武（ふるやつなたけ）の家だった。一九四四年に古谷が出征するにあたり、助手として仕事を手伝っていた吉沢久子に、留守宅に住んでくれるよう頼んだのである(古谷の家族はすでに郷里に疎開していた)。古谷の依頼は「あくまで東京に踏みとどまって、外部のさまざまな変化から心持ちの変化にいたるまで、できるだけくわしい記録を残してくれること」だったそうで、それに忠実に応えて書かれた日記である。

もともと吉沢久子は、幼いころに両親が離婚し、母親一人に育てられたため、自分の働きで生活を立てたいという思いが強く、速記者として独り立ちしていた。職業婦人の日給が六十―八十銭ぐらいだったころに速記者は一時間で七円もらっていたと語ったそうだから、大変なものである。同時に児童文学作家になりたいという希望も持っていたそうで、文章を書くことは好きだった。

実はこの日記は戦後の一九四七年、古谷綱武の『終戦まで』という本に、「空襲下の東京に生きた或る娘の手記」として一部収録された。そのときは二人はまだ、文筆家とその秘書という関係だったが、四年後の一九五一年に結婚する(古谷は前の妻と別れて再婚という形になった)。その後はずっと埋もれていたが、二〇一二年に「選挙権もなかった時代の、普通の女性が、戦争に否応なく巻きこまれ、ただいっしょうけんめい生きた姿をそのまま知っておいてもらいたい」という気持ちから、『あの頃のこと――吉沢久子、27歳。戦時下の日記』として清流出版から刊行され、今は文春文庫に『吉沢久子、27歳の空襲日記』として入っている。

一九四五年三月になると、「毎日新聞」の記者だった古谷綱武の弟・綱正が、社員寮が爆撃を受けて住めなくなったため、同僚と共に阿佐ヶ谷の家にやってくる。以来、男性二人の下宿人の寮母のような立場で奮闘し、ヤミの食材の調達などにも手腕を見せた。電車で神田の事務所に出勤しながら、不規則な勤務に従事する新聞記者たちの生活の面倒を見て、しかも日記を書くなんて、何という負荷だろうと思うけれども、久子さんは常に一生けんめいだ。

一方で、ジャーナリストたちのそばにいたため、情報の伝わるのが早いというメリットがあった。五月九日の日記には、このように書いてある。

「今日は各新聞いっせいに大ニュースとして「独全軍無条件降伏」を発表。新聞記者のみなさんから、何となく聞いていたことなのでおどろきはなく、むしろ私の気持ちは明るくなった。日本はこれからどうしていくのだろうか。ソ連と手を結んでいくのだろうか。私にはわからないことだが、偉大な外交官がいてくれたらと思う。この新聞記事は日記に貼っておこう」

このドイツの降伏という事態を、当時、樟蔭女子専門学校（現在の大阪樟蔭女子大学）国文科の学生だった田辺聖子が日記にどう書いているか、見てみよう。

「日本の国民はちがう。ドイツは遂に屈したが、日本はあくまで一億が玉砕するまで戦うであろう」（五月二十三日）。

これは『田辺聖子　十八歳の日の記録』（文藝春秋）として二〇二一年末に出版されたものの一部だ。この日記も著者の生前には公にされず、没後二年めに発見された。一九四五年四月一日、勤労学徒として軍需工場の寮に住み込み、航空機の部品を作っていた時期から、六月に大阪大空襲で家を失い、敗戦後の十二月に父を病気で失うといった出来事、そして四七年三月に学校を卒業するところまでが書かれている。後に、さまざまな小説にこの日記の中の描写が使われている。

野上弥生子や吉沢久子のところにあったような情報力は、田辺家にはない。そしてどうやら、情報力のないところには食糧も多くはないらしいのだ。

七月二十四日の日記に「料理おぼえ書」として二つのレシピが書き写してある。新聞か、雑誌だろうか。それは配給の豆、うどん、野菜、メリケン粉を何とかくりまわして作る非常時レシピで、野上弥生子や吉沢久子の料理のように名前がつくようなものではない。米など使っていない。また、七月二十九日の日記には、「米はこの頃足らず、大豆をすりつぶしてメリケン粉と混じった代用食ばかり作っている」ことや、昼ごはんのだんご汁を自分一人で作ったことが書いてある。この方が当時の食事情としては一般だっただろう。だが、だんご汁を作ったことについても、「みんなに味をきき、美味しいと答えられてニヤニヤするのも月並みな娘らしく、急にいやになった。やはり私は書物を抱えて源氏を読み、万葉を諳んじ、文法を考え、女性史を論じている方が似つかわしい」とあって、本当におせいさんらしいとにっこりしてしまう。

そんな彼女だが、八月十五日ともなると「何事ぞ！　悲憤慷慨その極を知らず、痛恨の涙、滂沱として流れ、肺腑は抉らるるばかりである」「嗚呼日本の男児何ぞその意気の懦弱たる」と、文語調の長文と短歌をたたきつけるように書いている。それまでは口語体なのに。この変わりように、「多感」という言葉が思い出され、十代で戦争を経験することの深刻さを改めて感じる。

三人の日記を読んでいくうちに、よく似た二つの文章が胸に残った。一つは、五月九日、ドイツの降伏に際して野上弥生子が書いた「これで日本が全世界を相手にイクサすることになつた」。そして、八月十一日、ソ連参戦について田辺聖子が記した「いよいよ、日本は世界を相手に戦うことになった」という文章だ。

一人はまだ十代の学生とはいえ、二人の重要な作家が、日本の孤立ぶりをほとんど同じ言葉で日記に残していたことに驚く。これを書いたそれぞれの心境がどんなものであったかは想像もつかないが、二人とも、世界の中の日本を端的に見抜き、射抜いている。この二つの文章には、周りの騒音を吸い込んでしまったような静かな迫力がある。それは正直、高見順や清沢洌を読んでいたときには感じなかったものだ。日常の仕事に追われてふだん手を休めることのない人が、一瞬手を止めて顔を上げたとき、世界がしんと静まり返り、視線がどこまでも伸びる。そんな光景を想像する。

八月十五日。吉沢久子は、「陛下の放送を、街中できき」たいと思い、神田駅近くの電気屋の前に立ったという。そして「放送が終わってまわりの人を見たら、やはり泣いている人はいたが、あげた顔に、戦争は終わったのだという明るさが見えたと思った」と書いた。野上弥生子は、「いづれにしても、これで五年間の大バクチはすつからかんの負けで終つたわけである」と記した。

そして田辺聖子の八月十五日以後の日記は、一ページごとに「がんばって!」と声をかけたくなるような、「多感」そのものの毎日だ。敗戦の二日後には、校長から「これからは、男子は戦争から帰ってくるから、女子は元のように家庭へ帰るべきである」という訓示がある。それについては何の感想も書かれていないが、かえってそこに田辺聖子の失望や虚脱が見えるような気もする。

「かつての日の感激と、大言壮語を私はさびしく思いかえし」という自己省察、「理由なき支那蔑視は排すべきであった」という覚醒、亡くなった父への思い、学びたい意欲、文学への夢。そして一九四七年三月四日、卒業式を目前にした日記には「さあこれから、経験を積み、人生観を高め、深く考えて、勇ましく人生の海へ乗り出してゆこう」と書かれていた。

吉沢久子と田辺聖子の日記の両方に解説を寄せられた梯久美子(かけはしくみこ)さんによれば、戦時中の女性の日記はごく少数だとのこと。しかも、職業を持つ若い独身女性のものは珍しいのだそうで、吉沢久子の日記の貴重さが胸に迫る。この人が速記者として働いていたことは知っていたが、エスペラント語を勉強したことがあったと日記を読んで初めて知った。

十代、二十代、六十代と書いた人の年代は違うが、どの日記も、暮らしを手放さない、手放せないままで極限状況を生きた記録だ。家事と戦争が縦糸と横糸のようにかっちり噛み合い、ある種の強靭(きょうじん)さを生み出しているような気がする。この三人のその後の仕事の重要さを知っているからそう思うのかもしれないが。

中村きい子の激しさに打たれる

先日、中村きい子の『女と刀』という小説が文庫化された（ちくま文庫）。一九六六年にカッパ・ノベルスの一冊として出版されて話題になり、ドラマにもなった有名な本である。

一言でいえば、たいへん激しい女の人のお話だ。主人公は、鹿児島の「城下士族」という、一種独特の武士階級に生まれた権領司（ごんりょうじ）キヲという女性で、著者のお母さんがモデルだそうである。

この小説を紹介するとき必ず言及されるエピソードに、七十歳のときに自ら離婚を切り出すというものがある。その際にキヲが夫に言った言葉が次の通り。

「刀のひとふりの重さほどもないおまえさまと、もはや共に生きるというのぞみは、いかように考え直そうとしても、もちえもさぬ」。

この心意気にちなんで、『女と刀』というタイトルになるわけだ。

キヲは、西南戦争での敗北が生涯のトラウマになっている父に厳しくしつけられた、誇り高い武士の娘である。でも、いざ結婚となると自分の意志など一顧だにされない。しかし、労働を嫌い女を見下す夫に連れ添って明治・大正・昭和を生きる間も、キヲは絶対に自分の信念を曲げることがなく、しかもその信念の一つひとつを行動で示す。そのクライマックスが、七十歳での離婚なのだ。それを、娘である中村きい子が、戦前戦後の劇的な変化の中でも変わらなかったものを見据えながら書いているので、いっそう厚みが増している。

この本が文庫になるのは初めてではなく、一九七六年にも講談社文庫に入ったことがある。私は大学生のときにそれを読んだが、本の内容と同じくらい、そこに入っていた鶴見俊輔の解説も印象的だった（この解説はちくま文庫版にも収録されている）。

この解説の中で鶴見俊輔は、『女と刀』が読まれる理由について「それは、われわれの内心に、自分のむこうに重いものをのせててんびんにかけて、自分の軽さをはかってみたいという、ひそかな望みがあるからではなかろうか」と書いていた。本当にその通りで、キヲのやることなすこと、その筋の通し方は「あっぱれ」の一言で、ただ読んでいるだけなのに、滝に打たれる修行ってこんな感じかなと思ったりする。

でも、考えてみたらそう言っている鶴見俊輔だって、並大抵の人ではない。だって、戦争中に軍属でジャワ島にいたとき、胸部カリエスの手術を麻酔抜きで二度も受けたというのだから。そのことは、『思い出袋』（岩波新書）に「生まれたときから、悪い子だと言われて母親に折檻（せっかん）されて育ったことが、このとき役にたった。私は、あきらかにマゾヒストとしての性格を身につけた。麻酔を倹約して手術をする海軍病院では、この性格は役にたち、軍医にほめられた」と書いてある。そんな体験をした人が「引きくらべて自分の軽さ」を知ったなどと言うのだから、やっぱり『女と刀』はすごいのである。

中村きい子は、谷川雁が組織した『サークル村』や、森崎和江の個人誌『無名通信』で活動した人だ。鶴見俊輔は一九五八年に、日高六郎の部屋で初めて谷川雁に会い、そのとき谷川雁の口から、中村きい子、森崎和江、石牟礼道子という三人の名前を聞いたそうだ。三人とも、六〇年代に入って充実した仕事をするが、中村きい子の仕事は当時、この三人の中で最もポピュラリティがあったのではないかと思う。何しろ『女と刀』は「木下恵介アワー」でテレビドラマ化されて高視聴率を記録し、その脚本を手がけたのは山田太一である。しかし近年は、森崎和江、石牟礼道子にくらべて読まれることが少なかった。作品数が少ないためかもしれない。

だが、作品は少なくても、中村きい子の小説に息づく人間像の強さはすさまじい。例えば、『コレクション　戦争×文学』(集英社)の「軍隊と人間」という巻に、「間引子(うっせご)」という短編が入っている。徴兵忌避をする三十代の男性の心情を描いているのだが、『女と刀』と同じくらい、またはひょっとしたらこっちの方が、熱々に焼けている。焼き芋の皮を全部むいて渡されるようなもので、手を出して受け取ったら必ずやけどするし、食べたら食道までやけどしそうだ。噴火口のきわのきわまでにじり寄って中をのぞき込むような激しさである。

舞台は韓国岳(からくにだけ)に近い霧島の農村で、ほとんどの男が戦争に行ってしまい、残った女たちが、やっとのことで生活を回している。そんな中、三十歳を過ぎた主人公の直は母と二人で暮らしている。村の同年代の男のほとんどは応召したのに、自分にはまだ召集令状が来ない。実は、直には三人の兄がいるのだが、三人とも戦死してしまった。直は戦争に行くのが絶対に嫌で、「赤紙のくっとを、がッつい死刑囚が打ち首さるっとを待っておるような気持」で生きている。

「俺は戦争には行こごちゃなかとじゃ、弾(たま)にあたって赤く染まって死んちいうことがおそろしか。そげなあら死(じに)がおそろしかとじゃ、ああ戦争には行きとうはなか、戦争には行きとうはなかあっ!」と直は歯軋(はぎし)りするが、やっぱり召集令状は来てしまう。隣近所からは「りっぱな働きをしてきやんせ」と励まされるが、直はふとんにもぐりこみ、「五日間の生命、五日間の生命」と思いながら震えている。そして「とにかく俺は行かないのだ。行かなくてもいい方法を考えるのだ」と思い定めている。

そんな直に母は「お前は死にはせん」と断言するのだが、その理由がまたすごい。

直の父は、直が生まれた年に死んでいる。その年はまたひどい凶作の年でもあった。地域全体が、孟宗竹の実を食べたり、かやの根を掘ってしゃぶったりという飢餓状態に陥る。四人の子を持って寡婦になった母は、隣の宮崎県の農家に出稼ぎに行くことに決める。その際、上の三人の子は親戚が預かってくれることになったが、まだ乳飲み子だった末っ子の直だけは引き取れないと断られてしまう。困り果てた母は直を殺そうと決める。それでこの小説のタイトルが「間引子」なのだ。

そのころは、多くの親たちが赤ん坊を叺(かます)に包んで県境の韓国岳の麓に捨てに行っており、直の母も同じことをした。だが、帰宅した後も赤ん坊の泣き声が耳について離れず、明け方を待って山に様子を見に行く。すると、凍死するか獣の餌食になっているだろうとあきらめていた直はまだ生きており、それを見た母は何としてもこの子を育てていこうと決心したという。

そして、ここまでを子供に告白した母の理屈は、「そげなめにあったお前は死なんじ」と飛躍する。つまり、三人の兄は戦争で死んでしまったが、これほど運の強いお前だけは弾も避けるであろう、だから怖がらずに戦争に行きなさい——という結論に至るのだ。

母がかつて自分の生命を奪おうとしたことを初めて知った直は茫然とし、怒りに震える。そのこと自体を責めはしない。「そんときはみんな自分のことでいっぱいで親子も兄弟も親類もなかった、理由はあろう」と受け止める。だが直は、母が最も恐れているのは息子の徴兵忌避であり、それによって自分が恥をかくのが嫌なのだと見抜いている。

「畜生! 俺はまかりまちがっても両親から貰った身体とは思わんぞ。俺は俺でできたものなのだ」。

そして直は、最も確実に徴兵を逃れられる手段を選ぶのだが、それもまた非常に苛烈なもので、驚く。この母といい息子といい、何て激しいのか。この人たちの言葉は異様に硬度が高く、やわな読み手の土手っ腹に食い込む。そこでは一人しかいない親と子が、生命と名誉の取り引きのような状態で拮抗しているのだ。

そういえば『女と刀』にも、戦時下に母子が激しく対立する場面があった。だがその構図は逆である。

著者の分身と思われるキヲの娘の成（なり）は、空襲の続く名古屋の軍需会社に勤めている。だが、この戦争を「わたしのいくさではない」と考えているキヲは、何が何でも娘を取り戻そうとして、父が危篤だという偽の電報まで打って成を帰郷させる。だまされた成は憤慨し、「みんなが、生命を賭して働いているというとに、わたしだけがこうも安閑としてはおられもさん。それに、わたしはいまの時局から推（お）して、母さまのお言いつけそのままにずうっと従ってゆくということは、やはりまちがいのようにありもす」と抗議する。するとキヲは刀を持ち出し、どうしても行くならお前を切る、とまで言い出す。

結局、成は母の迫力に負けるのだが、間もなく日本は無条件降伏する。その後二人が、異国に支配されたこの国でどう生きていけばいいのか語り合う場面がとても印象的だった。その答えは、「おのれをまっすぐ立てて生きる」ということである。それもまた一種の「いくさ」であると受け止めた成に対して、キヲは「そうじゃよ、いくさじゃよ。人間生きていくということでのいくさのおわった例（ためし）はない。ことに女は死ぬまで『家』というものがもたらす『きまり』とのいくさじゃ」と答える。

再び、鶴見俊輔の「自分のむこうに重いものをのせててんびんにかけ」という言葉に戻ろう。中村きい子の二つの小説には、戦争の中で、家族どうしの関係に国家の強権がめりめりと食い込む場面が描かれている。『間引子』と『女と刀』ではその構図が反対であっても、「家」と「私」

と「国」がそれぞれの重さでぶつかり合う瞬間の激しさは同じだ。その中で選択を迫られるとき、家族は虚飾をはがされ、何が名誉であり、何が卑怯であるかをめぐってにらみ合う。その視線の強さ、言葉の苛烈さには圧倒されるが、同時に、めいめいの考えがしっかりと言葉で筋道を通して説明されつくしていることに、感銘を受けた。

一九八〇年代初頭にこの本を初めて読んだときには、キヲと成の対話に戦後の爽やかさを強く感じたことを覚えている。だが、それはひょっとしたら、自分自身は生きている間に「お国」のための選択など迫られるはずはないという安心感にどこかで支えられていたからではなかったかと思う。ウクライナで戦争が始まり、「勇敢さ」といった言葉がふいにボリュームを増したかのような二〇二二年三月、この本を読み返しながらそう思った。

日本人は長らく、戦争と名誉について、自分のこととしてはほとんど考えなくてよかった。その歳月が長かった分、てんびんの向こうにあった重さが今、ずっしりとのしかかってくるような気がする。

本の栞(しおり)にぶら下がる

「記憶の中の書棚の上段に、いろんな本が入り乱れ、雑多に積み上がっていて、一本の栞を引っ張ると他の本もつられて動く。スピンに他の本の記憶がぞろぞろとぶら下がり、連なり、揺れている。そんな眺めについて書こうと思う」

という前振りで、この連載を始めた。それならどんな本のことでも書けるし、軽やかな感じになるかもしれないと思ったので。でも結局、書いたのは古い本のことばかりで、重苦しい話の方が多かったかもしれない。

前から掘り下げてみたいと思っていたことを、この機会にいろいろと調べて書くのは面白かった。けれども連載が進むにつれて、問題が浮上してきた。一言で「付箋問題」といえるかもしれない。これは昨日今日に始まったことではなく、以前からの困難ではあったのだが、この連載によってさらに顕在化した。

調べる過程で、本には密林のようにたくさん付箋を立てる。見落としが怖いので、バンバン立てる。するとどこが本当に重要なのかわからなくなるので、貼った付箋にさらに「★」マークを入れていく。付箋だけでなく、メモ用紙やノートへの抜き書きもたくさんするが、それも増えすぎてわけがわからなくなるので、メモ用紙にまで付箋を立てる。結局、最重要なところは隠れてしまい、いつも付箋といたちごっこ。

それでもとにかく書き終えて、何か月か経ち、付箋の貼られたメモを偶然見つけて読み返してみる。とても新鮮で驚く。そして水をかけられたようになる。「え、私は何でこんな大事なことを書かなかったの」と慌てるのだ。だがそう思って確認してみると、ちゃんと書いてある。付箋を立てたことを全く忘れているのだ。この期に及んでも付箋といたちごっこ。

ときどき、帯のコメントを書いてくださいとか、文庫の解説を書いてくださいというので、どさっと一冊分のゲラが送られてくる。気合を入れて、またも付箋を密林のように立てながら読む。キーワードになりそうな言葉を思いついたらその都度書き込み、「すごいな」とか「うわー」とか「この〇〇が～～だね」とか感想を書きながら読んでいく。ライブ感がある。

その後苦労したあげく、無事に帯文や解説を納品し、完成した本が送られてくる。めでたい。ところが、出来上がった本を見ても今ひとつまっさらすぎて手がかりがない。手がかりはむしろ、付箋と書き込みだらけのあのゲラの方にある。だからせっかく新品の本をいただいたのに、ライブ感の残るゲラが捨てられない。これらはもはや私の外部脳なのである。そんなゲラが何冊分もとってあって、部屋は狭いのにどうしたらいいのだか。こうなると、住環境をかけた付箋とのいたちごっこ。

結局、付箋やメモに頼っているかぎり、読みながら私が考えたことも感じたことも、そっちに引っ越してしまうのではないか。何を読んでも私の脳にはメモリが形成されないのではないか。これは由々しき問題と思われた。

二〇二一年から二二年にかけて、『韓国文学の中心にあるもの』(イースト・プレス)という本を書くために無理をして山のように本を読んだが、そのときも同じだった。どうマーキングしても悲しいほど忘れるので、最後はせっぱつまって、本の表紙に正方形の大きな付箋を貼り、「これのあれがマジで重要」とか「校了までに必ず読み返す」などと書き込んだ。でも、本を積んだり棚に立てるとメモは見えなくなってしまうので、さらに背表紙にメモを貼って「もう一度必ず」などと書いた。ところが、それを読み返しても、自分が自分に何を申し送りたかったのか不明なことすらあった。

といったことを通して、私は、付箋、メモとの戦いにじわじわと負けつづけていた。

そんなとき、肩と肘(ひじ)を故障して仕事が止まった。付箋を貼るのも線を引くのもメモを書くのもしんどい。連載も一度お休みせざるをえなくなりました(それまでにも何度も、一度スキップしたことはあったのですが)。参ったなあと思ったが、ちょっとこの機会に、強迫観念的な付箋貼りと線引きをやめてみようと思った。ちょうど外の風が気持ちいい季節だったので、ベランダに椅子を出して、『キャスリーンとフランク　父と母の話』(クリストファー・イシャウッド、横山貞子訳、新潮社）を読んだ。

いったい何日、この本にかけただろう。

「鶴見俊輔が何度も読み返した本」というので興味があった。とはいっても、鶴見俊輔と同じように読めるわけがないんだから、面白いと感じられなかったらすぐやめようと思って淡々と読みはじめた。そしたらやめられなくなった。私は「読み終えるのがもったいない」という気持ちになることがあまりないのだが、この本についてはそうなって、ページが残り少なくなると焦燥を感じた。

それにしても本当に、何でこんな、縁もゆかりもない人の本に惹きつけられるのだろう。書かれているのは、ヴィクトリア朝末期から第一次世界大戦後までの、イギリスのある家族の年代記だ。それがちょっと込み入った面白い形で綴（つづ）られている。

作家であるクリストファー・イシャウッドが、息子の立場で、母キャスリーンの日記と父フランクの手紙を大量に引用し、そこに解釈と感想を加えながら、祖父祖母のことまで含めて三代の歴史を書いているのだ。母の日記は父と出会う前からのもので、父が第一次世界大戦で死んだ後にも続く。この本の大部分は母と父の言葉でできているが、最終的には、性的少数者として生きた息子自身を語る本でもある。

フランクは相続資産のない貴族の次男だったので、キャスリーンと結婚してやっていけるのか？　そんな資格あるのか？　というツッコミがキャスリーンの父から入り、やりとりが延々と続く。キャスリーンの母は自分の気持ちを病気で表明する人だったので、娘はさんざん振り回される。そんないきさつと並行して、旅行と演劇鑑賞と読書の記録、イギリスや世界のできごとが綴られていく。フランクは結婚前も結婚後も戦地から手紙を書きつづけ(この人は、塹壕の中で編み物をする士官だった)、子供たちが生まれると、その成長記録がキャスリーンから戦地へ届く。

最初のうちは、「付箋を貼るとしたらここだな」という面白いこと、あるいは重要なことがいろいろ目についた。だがそのうち、記憶すべきところとそうでないところを区別しようとする行為が、無意味になっていった。そんなことはどうでもよくなり、今日も明日も明後日も、この「ことがらの川」に浸って、流れていければいいと思うようになった。

私は日記や手紙を読むことが好きだが、それらを読むときは、覗き見をしているような後ろ暗さが一パーセントくらいはつきまとう。でも、これはイシャウッドが先に読んだ上で、まるで無声映画の弁士みたいに解説をつけてくれているので、心おきなく読めるのだ。日記にも手紙にも日付が入っているから、それ自体が付箋のようで、何のマークも要らない。読んでいくうち、この一家の時間にユニゾンする瞬間があった。そして、もしかしたらこの、「ことがらの川」のどこかに、鶴見俊輔もいるかもしれないと想像することができた。

ボーア戦争で生き残ったフランクは第一次世界大戦で戦死し、二人の共同生活は十二年しか続かなかった。キャスリーンは以後、悲しみを表看板にして生きた。息子たちに、父は英雄だと教えた。クリストファーはそれに反抗するが、やがて、英雄ではなく父としてのフランク像を自分で作り上げ、それを支えとして、あるいは梃子（てこ）として、心の中で母から自由になり、同時に母と和解した。

本の終わり近く、「人生は、続いてゆかなくてはならない」という一行があった。五百ページ読んできて、「ここだな」と思ったので、私は満足した。一冊の本に一切のマーキングをせずに読み、それでも、自分にとっていちばん重要だと思う箇所が一度でわかったので。

ここを抜き書きしようとは思わなかった。この文章の前には、「家庭を営んでゆくのは、家庭が続いてゆくべきものだからだ」という一文がある。それらは一体として解釈しなくてはならないだろう。フランク死後のキャスリーンはそのような態度で長い人生を生きたのだと、イシャウッドは考えた。キャスリーンにとって、家庭と人生は切り離せないものだった。だから、「人生は、続いてゆかなくてはならない」だけを抜き書きしたら、キャスリーンの意図とは違ってしまうだろう。

引用は難しい。私はこの本について何も引用しなくていいことが、とても幸福だった。自分はここしばらく、引用するために本を読んでいたのだなあと、悟った。

その後続けてもう一度、付箋を立てない読書をした。ずっと前に読んだきりだった堀田善衞の長編、『時間』を読み返したのだ。岩波現代文庫版のカバー裏表紙に「殺、掠、姦——一九三七年、南京を占領した日本軍は暴虐のかぎりを尽した」とあるように、南京大虐殺を、中国人インテリの目から描いている。

　この本についてはとても多くを書けない。ただ、やはり小説の最後の方で一つの言葉に行きあたったことだけ書いておく。「秋冬が春を生むようにして」。ちょっとだけ説明すると、これはすさまじく無惨な経験をした女性の回復の過程について言われた言葉だった。そのまま納得できるものでもなく飲み下すこともできなかったが、「秋冬が春を生むようにして」、この文字列が目に吸いついてきた。一冊に一箇所、「この本はここだな」「自分にとってはここだな」というところ。自分のおへそがどこにあるのか、手探りしなくてもわかるように。

　栞はたいてい、一冊に一本しかない。読み終えて、迷いなく、そこへ栞をはさんでおこうと思うページがわかる、そしていつかまたここを開いたときにもその意味がわかるだろうと確信できる、そういう読書が二度できたので、肩はとても痛かったが、この秋はすばらしかった。

　本の栞にぶら下がろうと思ったら、付箋をぞろぞろつけていては重すぎるのだろう。これからもやむをえず付箋を立てて読んでいくとは思うのだが、ときどき自分の脳だけで本に向き合ってみようと思う。

　今まで読んでくださったみなさま、ありがとうございました。

あとがき

二〇二〇年に『図書』に連載を始めたときは、新しい本についても大いに書くつもりでした。ところが連載が進むにつれて、自分が思いつくのは古い本のことばかりなんだなと思い知りました。私の場合、新しい本についてはもっと寝かせないと思いきり言葉にすることができないようで、書評家の皆さんの偉大さを改めて痛感した次第です。

考えてみたら私は、ずっと本を読みつづけてきたわけではありません。仕事に直接関係する本以外はほとんど読めない時期が、二十年近くありました。もちろん、本が読めなかったからといって、よもやその時期が不幸だったわけはありませんが。

ともかく偏った読書生活だったので、栞(しおり)を引っ張っても偏った本棚が動くだけでした。担当してくださった岩波書店の須藤建さんが「それでいいですよ」と言ってくださったので、途中で居直り、古い本のことばかり書きました。そんなふうに保証してもらわなかったら、マダム・マサコや森村桂についてこれほど熱をこめて書くことはなかったでしょう。そして書き上げてみると、どんなに古い本にも、今につながる栞がはさまっているのでした。

単行本化にあたっては全面的に加筆修正し、「脱北者が読むジョージ・オーウェル」の章を書きおろしました。

連載中何度か、ここに取り上げた本の関係者の方からお便りをいただきました。いぬいとみこさんと親しかった絵本作家の木下惇子さん。また、「炭鉱町から来た人」で引用させていただいた「死の花粉」の沖田きみ子さん。マダム・マサコさんのご家族からもご連絡をいただきました。他に、文中で引用した作品の作者のお知り合いの方から消息を伺うこともあり、いずれも嬉しく、ありがたいことでした。

岩波書店の須藤建さんに御礼申し上げます。半年休載したり、一回パスしたりと、ドタバタの不安定走行でたいへんご負担をかけました。にもかかわらず毎回、的確な感想に加えて、自分の体験に引きつけて考えたことなどを伝えてくれて、そのやりとりがとても楽しかったことを思い出します。

また、高野文子さんには「栞」にちなんだすてきなイラストをいただきました。高校時代に郷里の文具店で箱入りの『チボー家の人びと』を見つけた私は、大学を出たばかりの年には渋谷の大型書店で高野さんの『絶対安全剃刀』を見つけ、何ともいえず高揚する気分を味わったものです。あの、フリーターとしか呼びようのなかった二十三歳の私がこのことを知ったらどう思うだろうかと考えてみましたが、およそ想像がつきません。およそ想像がつかないようなことが世の中には起きることがあるのだと、ありがたく受け止めています。

連載中に読んでくださった方、感想を聞かせてくださった方、間違いを教えてくださった方、皆さんに御礼申し上げます。

二〇二三年七月二十六日

斎藤真理子

斎藤真理子
1960年新潟市生まれ。翻訳者、ライター。著書に『韓国文学の中心にあるもの』(イースト・プレス)。訳書にパク・ミンギュ『カステラ』(ヒョン・ジェフンとの共訳、クレイン)、チョ・セヒ『こびとが打ち上げた小さなボール』(河出書房新社)、ハン・ガン『ギリシャ語の時間』(晶文社)、チョン・セラン『フィフティ・ピープル』(亜紀書房)、チョ・ナムジュ『82年生まれ、キム・ジヨン』(筑摩書房)、パク・ソルメ『未来散歩練習』(白水社)などがある。共編著に『韓国文学を旅する60章』(波田野節子・きむ　ふなとの共編著、明石書店)。2015年、『カステラ』で第一回日本翻訳大賞受賞。2020年、『ヒョンナムオッパへ』(チョ・ナムジュ他、白水社)で韓国文学翻訳大賞(韓国文学翻訳院主宰)受賞。

本の栞にぶら下がる

2023年 9 月14日　第1刷発行
2023年10月25日　第3刷発行

著　者　斎藤真理子(さいとうまりこ)

発行者　坂本政謙

発行所　株式会社 岩波書店
〒101-8002 東京都千代田区一ツ橋 2-5-5
電話案内 03-5210-4000
https://www.iwanami.co.jp/

印刷・三陽社　カバー・半七印刷　製本・松岳社

ISBN 978-4-00-061610-2　　Printed in Japan